まだ本当のことを言わないの?

日本の9大タブー

フィフィ

幻冬舎

まだ本当のことを言わないの?

日本の9大タブー

ブックデザイン　米谷テツヤ
構成協力　佐藤美由紀
協力　サンミュージックプロダクション

はじめに

フィフィです。

私は、外国人として、日本に長く暮らしています。

日本の大学で研究することになった両親に連れられて子どもの頃に訪日し、小・中・高と日本の公立学校に通いました。高校卒業後は普通に受験して日本の私立大学に進んで学び、いっときアメリカに留学していましたが、日本に舞い戻って今に至っています。

私の祖国はエジプトです。そして私はエジプト人。いつでも祖国に帰ることはできますが、今日までずっと日本に住み続けているのは、「この国が大好きだから」。この一言に尽きます。

郷に入っては郷に従え。

日本には、こんな言葉がありますね。今はエジプトで暮らす私の母は、日本に住んでいるとき、「なんて素敵なんでしょう」と、よく言っていましたが、私も同感です。

謙虚で、自分と異なる価値観や文化を尊重する。「郷に入っては郷に従え」は、そんな日本人のマインドをよく表す言葉だと、私たち家族は感じていました。

「ちょっとそこまで」

これもまた、日本人独特の表現です。道でばったり会ったご近所さんから「あら、どちらに？」と訊ねられたとき、こんなふうに返す人は少なくないですよね。

この短い言葉で、お互いが瞬時にいろいろなことを察し合うというのでしょうか。繊細な日本人ならではの、絶妙な表現です。

ことわざや日常的に使う言葉にも、よく表れている日本人の〝心〟や〝精神〟。

礼儀正しくて謙虚で繊細で、勤勉で真面目で。それでいて、別の価値観や異文化をすんなり受け入れて、スポンジのように吸収していくフレキシブルさも持ち合わせている——。

そんな日本の人たちのことも、その人たちが長い歳月をかけて創り上げた文化や伝統も、私は愛してやみません。

大好きな国、ニッポン。

こんな素敵な国は、世界中見渡してもなかなかありません。

ただし一方で、外国人としてこの国で暮らしていると、世の中や政治に対して、「なぜ？」と不思議に思ったり、残念に感じたりすることがあるのも確かです。外国人の視点で見つめるからこその違和感、とでも言えばいいのでしょうか。

本書では、そんなことをテーマ別に綴ってみました。

「外国人がエラソーに」と思われるかもしれません。ですが、私は日本が大好きだからこそ、お伝えしたいのです。日本には、もっともっと素晴らしい国になってほしいから。

日本に長く暮らしている私は、日本語を不自由なく操ることができます。でも、やっぱり私の根本は外国人。その立ち位置から日本の社会を見ると、「この点、ちょっとどうなのでしょうか」という部分がある。そんなことを私の活動を通して日本のみなさんに問題提起し、一緒に考えるきっかけにしていただく――それが自分の使命とさえ思っています。

親の都合で日本に連れられてきて、日本が大好きになって、そのまま日本に住み着いて――これが私の運命だったんです。こんな運命を授かった私だからこそ、みなさんにお伝えしなくちゃいけないことがある。そんな使命感に燃えて綴ったのが本書です。

最後まで読んでいただけると幸いです。

目次

第１章（安全保障と外交問題）

中国・北朝鮮・ロシアは「敵国」、韓国は「仮想敵国」

日中国交正常化50周年祝賀ムードの中でミサイルを飛ばす中国の脅威

日本人の危機意識の欠如

長年、外国人として日本に暮らしていると、日本の政府や社会に対して、「そんなことでいいの？」と心配になることが多々あります。ときには、「もっとしっかりしてください！」と一喝したくなることもあるのだけれど、昨今、私が最もそう感じている事象のひとつが、安全保障の問題です。

この国は、「自国は自分たちで守る」という意識が、あまりにも低すぎませんか。平和ボケ？　他力本願？　世界のどこかで戦争や紛争が起きていても、国と国とが一触即発の状態にあっても、遠い国の他人事としか考えない。危機感がなさすぎるというのか。「日本で戦争なんてありえない」「万が一何かあったとしたらアメリカがどうにかしてくれる」などと、漠然と考えている人も少なくないのではありませんか。

確かに、日本とアメリカとの間には日米安全保障条約があります。これは、日本は憲法９条によって集団的自衛権が行使できないため、専守防衛に徹し、いざというときはアメリカ軍に守ってもらうというものです。

しかしこの条約、アメリカ側からは、「日本はカネは出しても血を流さない」という批判がずっとありましたし、トランプ前大統領などは、「アメリカが攻撃されたとしても、日本はアメリカを助ける必要がない」と不満を漏らし、「不公平だ」と言い切っていましたよね。

トランプさんの言い分、よくわかります。誰だって、自分の国がかわいいに決まっています。自分の国を助けてくれない国のために、自国兵士に血を流させるわけにはいきません。つまり、「アメリカの傘の下にいるから大丈夫」などとたかを括っていると、いざというとき泣きを見るかもしれないということです。しかも、日米を取り巻く安全保障の環境は、どんどん厳しくなっているんですよ。日本のみなさん、もっと危機感を持ってください！

中国の不穏な動きに警戒すべき

日本に危機感がないのは、国と国が地続きで隣り合うヨーロッパなどと異なり、海に囲まれた島国だからでしょうか。周辺国の脅威を直接感じづらいのかもしれません。

しかし、海を隔てているとはいえ、日本の周辺は敵国だらけです。

たとえば中国。1972年に日中が国交の正常化を実現してから2022年で丸50年。この間、日中両国は、歴史認識の違いによる政治的な摩擦が起きるたびに、経済を重視してまた関係を改善する——というようなことを繰り返してきました。しかし、いつの頃からか、尖閣諸島をめぐる摩擦が常態化して、両国の関係はどんどん悪化しています。

２０２２年８月の出来事を振り返ってみてください。

８月４日、中国軍は台湾のまわりで大規模な演習を開始し、台湾の周辺海域に向けて複数の弾道ミサイルを発射しました。アメリカのナンシー・ペロシ下院議長の台湾訪問を受けてのことでした。中台統一を悲願とする習近平国家主席にとって、アメリカの、台湾への介入が続く状況は認めがたく、ミサイル発射は、抗議と牽制の意味があったのです。

日本としても、「対岸の火事」などと呑気なことを言ってはいられません。このとき中国が発射した弾道ミサイル11発のうちの５発は、日本の排他的経済水域（ＥＥＺ）の内側に落下したと推定されるのです。与那国島から80キロしか離れていない場所に着弾したというのに、政府の対応はお粗末なものでした。

少しは抗議したもののまったく不十分。軍事評論家の中には、「迎撃すべきだった」という人もいたほどのことです。そこまでしなくても、ある程度のペナルティは科すべきと思いますが、日本は何もしていないんです。どうしてなんでしょう？　私には不思議でなりません。

日本を狙ったわけではないとはいえ、中国は日中国交正常化50周年で記念式典などが催される祝賀ムードなタイミングでも、ミサイルを撃ってくるような相手です。そうでなくても、決して「仲良し」とは言えないのですから、緊張が高まると、やはり「敵国」としての動きをする。台湾有事でも起きようものなら、中国にとって日本は完全なる敵国ですから、必ずや攻撃されるでしょう。台湾有事は日本の有事です。亡くなられた安倍元首相も、行く先々の講演会でそう訴えていました。

中国には中華思想（※）が根付いています。後々、詳しく触れていきますが、その思想によって、世界を思うままにしようと、中国は着々と地固めをしているのです。

いつまでも「大丈夫、何も起きないよ」なんて言っていると、世界から笑われますよ。

北朝鮮は もはや「国」とは思えないけど、崩壊したら日本にとっては超厄介！

なぜ北朝鮮はミサイルを乱発するのか

日本を取り巻く敵国というと、最もわかりやすいのは北朝鮮でしょう。

※中国が世界の中心に位置し、その文化・思想こそが神聖かつ最高であるとする考え方

北朝鮮は、日本のほぼ全域をノドンミサイルの射程に入れ、たびたび日本海に向けて発射実験をしています。すでに核開発に成功しているとも言われていますから、ミサイルに核を搭載して日本を攻撃するというシナリオが現実にならないとは限りません。北朝鮮がそこまでの技術を持つかは疑わしいという見方もありますが、すでにその能力を備えている、と言う専門家もいます。

一方で、北朝鮮には攻撃能力はあっても、撃ち込まれたミサイルを防衛する装備はないため、撃たれたら撃たれっぱなしになるのではないかという推測も飛んでいます（中国も同じではないかという見方も）。であるなら、北朝鮮に対しては、防衛システムを強化して備えればいいということになる。今の日本のシステムなら、北朝鮮から飛んでくるミサイルはすべて跳ね返せるとも言われています。

要するに、軍事において大事なのは、攻撃よりも防衛ということ。その観点からすると、いざ戦争ということになったら、あの国は脆弱。北朝鮮がミサイルの発射実験を繰り返すのは、「挑発のため」という見方がありますが、今さら挑発も何もないんですね。

2022年9月下旬から11月にかけて、北朝鮮は続けざまにミサイルを発射しましたが、この時期の度重なるミサイル発射は、情報収集のためではないかと、私は思っています。

北朝鮮がミサイルを撃つことで、日米韓の3国がどのような反応を示すのか、米韓両軍、日本の自衛隊が、それぞれどのように動くのか、こうしたことを観察しているのではないでしょうか。特にアメリカの動向ですね。

その情報は、北朝鮮から中国やロシアに提供されている可能性があります。中国は台湾に侵攻するチャンスをうかがっています。ロシアは、ウクライナへの核の使用をちらつかせています。それぞれに思惑があって、有事に備えてアメリカ側の動きを知りたいと思うのは当然です。ですから、あえて北朝鮮にミサイルを撃たせているのではないか。

北朝鮮は、国連などからすでに厳しい制裁を受けています。このタイミングでミサイルを撃ったところで、これ以上の経済制裁をされるリスクは、もはやない。だから、半ば開き直って、バンバン撃ち続けていたのではないかと思うのです。

ミサイルを撃つには莫大な費用がかかりますが、当然、情報提供と引き換えに、ロシアや中国から何らかの利益は得ているでしょう。

国交がない北朝鮮の組織がなぜ日本にあるのか

北朝鮮は、本当によくわからない国。ハッカーによって仮想通貨を盗ませ、それを国の主な収入源にしているという話もあったりして、もはや国としての体《てい》をなしていません。

アフリカの国々では自然災害によって飢餓が起きたりしますが、この国は、うまくやればいくらでも人民を食べさせていくことができるはずなのに、そういうことを放棄して、金一族のためだけに国を回して国民を飢えさせている。まったく政治ができていない。

〝親ガチャ〟という言葉がありますが、私は〝国ガチャ〟と呼んでいて、あの国の人民は大ハズレを引いてしまったようなものです。世界で一番不幸な国が、かつて「地上の楽園」などと自称していたなんて、驚きしかありません。

日本にしてみれば、すぐ近所にある、こういう国が崩壊してしまったら、非常に厄介です。中国やロシアにこちら側の情報を流しているとしたら、面倒ですよね。

日本と北朝鮮は国交を結んでいませんが、日本国内には、朝鮮総連（正式名称は「在日本朝鮮人総聯合会」）をはじめ朝鮮学校など、北朝鮮の組織があります。学校があること自体、世界の常識で考えれば「なんで？」ですね。日本国内にある、金一族の肖像画が掲げられた学校で、北側の思想が教えられているのです。

この現実、他の国ではあるまじきこと。教育の自由とか表現の自由とか、何でもかんでも「自由」の一言で許してしまっていいのでしょうか。

ウクライナ有事でよくわかった ロシアのクレイジー加減

ロシアは日本の敵国

2022年2月24日、ロシアがウクライナ各地で軍事侵攻に踏み切りました。このプーチン大統領の暴挙は、日本でも驚きを持って受け止められました。改めてロシアと日本の関係について考えさせられましたよね。

安倍政権では良好な日露関係が築かれていました。

第2次安倍政権発足以降、安倍首相（当時）は、1年半の間に5回もプーチン大統領と会談を行い、両者の親密ぶりを見せつけました。

2013年にロシアで成立した同性愛宣伝禁止法を問題視したアメリカのオバマ大統領やイギリスのキャメロン首相（いずれも当時）などは、その翌年に開催されたソチオリンピックの開会式への欠席を相次いで表明しました。しかし、安倍首相は出席し、プーチン大統領から歓迎されたのです。

このようなことを顧みるにつけ、私自身、「日本とロシアの関係はまあ良好」と、漠然と思っていたんですね。ところが、ウクライナ有事が起きてすぐ、日本政府はEU諸国などと協調し、ロシアに対する経済制裁を実施。その後も数回にわたって追加的な制裁措置を施しています。

実は私は、この日本の素早い動きに、少し驚きました。

1989年、中国政府は民主化運動を武力弾圧し、世界に衝撃を与えました。天安門事件です。このとき、G7（※）は、共同で制裁措置を取ろうとしましたが、唯一、日本だけが拒否。事件は容認できないとしつつも、日中関係の悪化を避けたかったのでしょう。

この一件があったため、今回はどう出るのだろうかと注目していたわけですが、EU諸国などと足並みを揃えることで、日本が「西側の国」であること、「アメリカの安全保障の中にいる」ことを、はっきりと、迅速に示したわけです。

これはつまり、「ロシアは日本の敵国」ということの表明でもありました。東西の冷戦はとっくに終わっているとはいえ、日本はずっとアメリカの傘の下。東側のロシアとは対極の立ち位置ですから、日本にとってロシアは敵ということになるのです。

こんなことを言うと、「じゃあ、サハリン1、2から撤退しなかったのは、どういうことだ？」と反論もありそうですね。

この「サハリン1」「サハリン2」、いわゆる「サハリンプロジェクト」とは、日本の政府や各国企業が関わるロシア極東のサハリン島周辺で石油・天然ガスを開発する事業のこと。エクソンモービルやシェルなども参加していたのですが、ロシアがウクライナに侵攻してから、それら国際メジャーは早々に撤退を表明しました。しかし、日本は粘りました。それに対して、「やっぱり日本はロシアとベッタリの関係なんだ」「結局、経済優先なんだね」などの意見も湧き起こりました。

でも、私の見方は違います。

その当時、プロジェクトから企業が撤退して継続困難になったら、ロシアは権益を中国に譲る、そんな説が有力視されていました。せっかくここまで開発に携わってきたというのに、今、ここで撤退したら、中国が入ってきて権益を持って行かれてしまう。日本としては、それだけはどうしても避けたかったのではないでしょうか。撤退しなかったのは、日本側のこうした思惑があったから。私はそれで正解だったと思っています。

ロシアは日本への攻撃を準備していた⁉

ウクライナ戦争の勃発によって「日本はアメリカ側で、ロシアは日本の敵国」という図式が浮き彫りになりました。でも、考えてみれば、日本にとってロシアの立ち位置は前から変わらず「敵国」です。北方領土だって取られたままではないですか。

「ロシアの西の隣はウクライナだが、東の隣は北海道だ。ロシアが西は攻めるが、東には攻めてこないという保証はない」

2022年、東京都内で開催された岸田派のパーティをはじめ各地の講演で、麻生太郎副総裁はこんな発言をしていますが、まさにおっしゃる通り。

ロシアというと、モスクワのイメージが強すぎて、「遠い国」という印象があります。でも、

※カナダ、フランス、ドイツ、イタリア、日本、イギリス、アメリカの先進7か国

この国は〝お隣さん〟です。北海道の根室半島から北方領土は目と鼻の先ですからね。こんなにも近くに、「兄弟国（＝ウクライナ）」にさえ一方的に侵攻する国があるかと思うと、日本も気を引き締めずにはいられないはずです。

実際、ロシアは、日本への侵攻を本気で考えていたというような話も浮上しているんですよ。

《ロシアはウクライナではなく日本攻撃を準備していた》

２０２２年11月25日付「ニューズウィーク日本版（デジタル）」で、こんな見出しが躍るスクープ記事が掲載されたのです。

記事によると、「プーチン大統領が率いるロシアは、ウクライナへの大規模侵攻に着手する何か月も前の２０２１年夏、日本を攻撃する準備を進めていた」とのこと。この衝撃的な事実は、ロシア連邦保安庁の内部告発者がロシア人の人権擁護活動家に送信したメールで明らかになったと報じられています。

同誌編集部がそのメールを入手したということで、メールには、２０２１年8月にロシアは日本を相手にした局地的な軍事紛争に向けてかなり真剣に準備をしていたこと、ロシアが攻撃相手を日本からウクライナに変更したのはそれから何か月もあとだったこと、などが書かれていました。さらには、「日本とロシアが深刻な対立に突入し、場合によっては戦争に発展する可能性はかなり高かった」などとも綴られていたということです。

怖すぎると思いませんか。考えただけでゾッとします。

このスクープ記事が掲載されて1週間経つか経たないかの頃、中国軍とロシア軍のそれぞれ2機の爆撃機が日本周辺において長距離の共同飛行をしたと防衛省が発表しました。

中国はもちろんですが、ロシアも完全に日本の敵国です。

お隣の韓国は決して味方じゃない。「仮想敵国」です

日韓関係を決定づけた「レーダー照射事件」

さて、では一番近くのご近所さん、お隣の韓国はというと、こちらは「仮想敵国」です。「反日」とか「嫌日」とか、韓国の人たちのネガティブな対日感情を取り上げて、そう断言しているわけではありません。日本はアメリカと日米安全保障条約を、韓国はアメリカと米韓相互防衛条約を、それぞれ結んでいます。本来であれば、日韓はアメリカを間に挟んだ友好的な国同士、つまり味方同士であるはずなのに、韓国がやることを見ていると、とてもそうとは思えないのです。

韓国が日本にとって仮想敵国であるのは、その行動を見れば一目瞭然です。

歴史的にも、国際法上も、日本固有の領土であることが明らかな竹島を「独島《ドクト》」と呼んで、堂々と不法占拠を続けています。ヘリポートや宿泊施設を建設して警察庁の警備隊員を常住させているばかりか、周辺海域では、軍の艦船や航空機を投入して軍事訓練を行ったりもしています。結局、今、竹島は韓国が実効支配してしまっていますよね。

これだけでも、韓国を仮想敵国と呼ぶに十分ですが、〝レーダー照射事件〟で決定的になりました。

2018年12月、能登半島沖の日本海で、韓国海軍の駆逐艦が海上自衛隊の哨戒機に対して、レーダーを照射するという出来事がありました。普段行う警戒監視・情報収集の一環として、日本の哨戒機が日本の排他的経済水域を飛行中、韓国軍の駆逐艦と漁船らしき小型の船を確認したため、写真撮影をしていたところ、いきなり、その駆逐艦から火器管制レーダー照射を受けたというのです。

火器管制レーダーとは、ミサイル弾を命中させる目標の位置や移動速度を掴むものです。つまり、レーダー照射された側は、ミサイルで狙われていると解釈してもおかしくない、不測の事態を招きかねない危険な行動。日韓両国が合意している海上衝突回避規範でも、攻撃の模擬行為であり、避けるべき動作のひとつとして規定されているほどです。

なぜそんなことをしたのか謎ですよね。韓国の駆逐艦と漁船と思しき小型船との間で、何か不法な取引でもしていたのではないかという説もあります。そこにパトロール中の日本の哨戒機が近づいてきたものだから、焦ってレーダーを照射したのではないか、と。

どういう理由にしろ、相手を敵国とみなしていない限り、レーダーを照射するなど、あり得ないこと。韓国側はレーダーの照射自体も否定して、謝罪すらしていません。

この問題は日本に大きなしこりを残しましたが、2022年8月18日付「朝日新聞デジタル」で、新たな事実が発覚したことが報道されました。

記事によると、事件から2か月後、自国の戦艦に低空で接近する日本の自衛隊機に対しては、レーダー照射などの強硬な対応を取る指針を、韓国軍が作成していたことが判明。要するに、「もし今後、同じようなことがあったら、どんどんレーダーを当てて威嚇していいから」とお墨付きを与えていたことが、明らかになったのです。

対日強硬路線を貫いていた文在寅《ムンジェイン》大統領（当時）の指示があったのでしょう。この指針は自衛隊機だけが対象で、ロシア機や中国機に限定した指針はないということです。

日韓両国の緊張状態は、レーダー照射事件によって最高潮に達していました。そんなときに、こんな指針をつくっていたとは！　有事のとき、日本と韓国は同じチームで戦わなくてはならない立ち位置なのに、韓国は日本を完全に敵国扱い。

大問題ではないですか！　「韓国は仮想敵国じゃなくて完全に敵国でしょ」と言う人もいますが、そう言いたくなる気持ち、よくわかります。

海上で行われていた北朝鮮との違法取引？

レーダー照射事件は、韓国へのある疑惑が、より一層深まった一件でもありました。

2019年7月、日本政府は、韓国に対して、半導体素材3品目に関しての輸出規制を強化すると発表しました。当時、世の中は、結構な騒ぎになりましたね。「半導体材料の事実上の禁輸」と受け止め、日本の報復措置ではないかと騒ぎ立てる国内メディアもありました。

レーダー照射事件の2か月前の2018年10月。日韓両国の間ですでに解決済みだったはずの徴用工に関する問題について、韓国の最高裁判所は、韓国人の元徴用工4人を働かせた日本の企業に対して1人約1000万円の賠償金を求める判決を下しました。

この一件で、もともとピリピリしていた日韓の間に緊張が走りましたが、その2か月後にはレーダー照射事件が起きたというわけです。もう両国間の緊張状態はマックスだったはず。半導体素材3品目の輸出規制強化が、日本側の対抗措置、報復措置と受け取られるのも無理はありません。

日本政府の公式発表では、「日韓の信頼関係が著しく損なわれたこと」、そして、「輸出管理をめぐり不適切な事案が発生したこと」が、輸出規制強化の理由としてあげられています。

このとき輸出規制の対象となった半導体素材は、軍事転用が可能なことから、「第三国へ横流ししているのではないか」と騒がれ、中には「行き先は〝北〟」と報道したメディアもあったのです。

このニュースに、能登半島沖のレーダー照射事件を思い出して、ピンときた人も多かったのではないでしょうか。あのとき、韓国の駆逐艦の隣には漁船と思われる小さな船が浮かんでいたといいます。

なんでも、違法な取引は海上で行われることが多く、船をよく観察していると、取引が行われたかどうかは、海面からの船の高さを見るとわかるそう。荷物を受け取った船は、荷物の重さだけ沈みますし、逆に、渡したほうは、その分だけ浮かび上がりますから、荷物のやりとりがあればわかります。

あの事件のとき自衛隊の哨戒機は、それを見張っていたのではないか。そして、日本から輸入した半導体素材を北朝鮮に横流ししていた現場を押さえられそうになって、焦った韓国側は、あと先考えずに火器管制レーダーを照射したのではないか――。

そうか、そういうことだったのか！　半導体の輸出規制強化の一件で、膝を打った人は少なくなかったのではないかと思います。

この措置の理由としてあげられた「不適切な事案」について、韓国側が日本側に説明を求めたところ、「第三国への横流しを意味するものではない」と回答したそうです。しかし、真実はいまだに明らかにされていません。

ホワイト国の資格なし！

いずれにしても、この輸出規制強化に韓国が大反発したことは、言うまでもありません。しかし、そもそもこの措置は、それほどひどいものだったのでしょうか。

輸出管理の世界では、国際的な原則で、「特別に信頼できる相手国」だけが輸出手続きの簡略化を認められており、日本の制度では、この輸出管理優遇対象国を「ホワイト国」と呼んでいました（※）。

日本は、２００４年から韓国もホワイト国として、特別に優遇して手続きを簡略化していましたが、今回の措置で、韓国の立ち位置を２００４年以前に戻しました。当時、〝ホワイト国外し〟なる言葉がメディアを賑わせましたが、そこまで大騒ぎすることでもないような……。手続きが少し面倒になりはするものの、韓国への輸出そのものに規制がかかったわけではないのです。

けれど、韓国の怒りは収まりませんでした。

韓国国内では日本製品不買運動が広がり、「NO JAPAN」のステッカーやプラカードが街中に溢れました。ネット上では、不買の対象品リストが出回っていたほど。

２０２０年12月22日付「ソウル聯合ニュース（デジタル版）」によれば、韓国国民にアンケートを取ったところ、日本による対韓輸出規制強化を受けて起きた日本製品の不買運動について、実に7割の人が「参加した経験がある」と回答しています。こうなってくると、感情的には、もはや「仮想敵国」ではなく、完全に「敵国」ではないかと思ってしまいますね。

お隣さんは「レッドチーム入り」を目指している⁉

日韓GSOMIAの破棄

日韓問題はさらに過熱していきます。日本に輸出規制強化措置を取られ、ホワイト国から除外されたことへの対抗措置として、韓国政府は、「GSOMIA《ジーソミア》（軍事情報包括保護協定）」を延長しない方針を決定。一方的に日本に対して破棄を通告し、またまた大きな問題になりました。

GSOMIAは、軍事情報を互いに提供し合う際、第三国へ情報が漏洩しないよう保護するための協定です。もともとはアメリカが同盟国などと結ぶ2か国間協定で、アメリカは日本を

※この呼称は2019年に廃止。現在の呼称は「グループA」

含む60か国以上と結んでいます（2019年現在）。

日本は、2007年にアメリカと締結して以降、NATO、フランス、オーストラリア、イギリス、インド、イタリアと協定を結び、韓国とは2016年11月に「日韓GSOMIA」を締結しました（その後、ドイツとも締結）。

日韓GSOMIAの有効期限は1年間で、どちらかが申し出ない限り、自動更新されることになっていました。ところが、2019年8月23日、韓国政府は、この協定を破棄することを日本側に通告してきたのです。

これによって、日韓GSOMIAは、2019年11月23日に効力を失うことになりました。この協定は、東アジアの安全保障上、とても重要なもの。日韓2か国だけでなく、日韓双方の重要なパートナーであるアメリカも深く関わっています。自身の同盟国である日本と韓国の関係が緊密になれば、アメリカにとっても大きなメリットがあるのです。

そもそも、協定の締結に向けて積極的に働きかけていた日本に対し、韓国は消極的だったといいますが、最終的にはアメリカの働きかけによって、締結が実現したらしい。つまり、日韓GSOMIAの破棄通告は、米韓関係にも悪影響を与えることになります。

そんな協定を一時の感情に任せて破棄しようとするなんて！　アンビリーバブルです。

「もしかしてレッドチームに入るつもり？」

このことに限らず、韓国の言動を見るにつけ、そう尋ねたくなることがたびたびです。軍事作戦のための机上演習を行う際、味方はブルー、敵はレッドであらわすことから、レッドチームというのは、ズバリ「敵」のことです。

ＧＳＯＭＩＡの件は、アメリカが圧力をかけたのでしょう。結局、11月23日の失効直前になって、韓国は、協定の破棄宣言を保留にしました。韓国政府は、「我が政府は効力をいつでも終了できるとの前提で破棄通告の効力を停止した」などと説明しています。「ずっと続けるとは言ってないからね。こっちの意思で、やめようと思えばいつでもやめられるんだからね」というようなことを暗に言いたかったのでしょうか。

日韓ＧＳＯＭＩＡは、それから自動更新されてきたものの、あやふやな、宙ぶらりんの状態になっていたようです。

日韓関係の改善を掲げる尹錫悦《ユンソンニョル》さんが大統領に就任して間もない２０２２年6月、韓国の外相はアメリカの国務長官を訪ねて会談した際、この件に言及。「早期に正常化したい」と述べました。そして、２０２３年の3月16日、日韓首脳会談後の記者会見で、尹大統領は日韓ＧＳＯＭＩＡの完全な正常化を表明。その5日後の21日、韓国外務省は、ＧＳＯＭＩＡ運用正常化を日本側に正式に書面で通知したことを明らかにしました。

何を指して「正常化」と言っているのかよくわかりませんが、いずれにせよ、今後は変にこじれたりしないことを祈るばかりです。

アメリカに不信感を抱かれてもなお中国に日和る韓国

韓国の「3NO原則」

韓国が仮想敵国であることは、この国が中国の顔色ばかり見ていることからもうかがえます。中国と陸で接する朝鮮半島は、有史以来、常に中国の影響下にありました。小国が生き残るためには、巨大な国のご機嫌を取らなければならなかったのです。現代の韓国にも、そのスタンスが脈々と受け継がれているのでしょう。

２０１７年４月、在韓米軍がＴＨＡＡＤ《サアド》（地上配備型ミサイル迎撃システム）を韓国内に配備しました。米韓政府は、ＴＨＡＡＤ配備は、「核武装した北朝鮮に対する純粋な抑止力」と説明しましたが、中国政府は、「レーダーの探知範囲が自国領内に達しており、地域の安全保障バランスを崩す」として、反撃を開始します。

ドラマ、映画、番組など韓流コンテンツを締め出し、韓国芸能人の自国メディアへの出演を制限したほか、化粧品など多数の韓国製品の禁輸措置を実施しました。

また、THAADの配備用地を提供する韓国企業のロッテに圧力をかけるなど、韓国への報復として、徹底した経済制裁の措置を取ったのです。

「THAADを配備するなどけしからん！」

中国から怒られて、制裁されて、しゅんとなった韓国は、信じられない行動を取ります。中国への配慮として、同年10月、「3NO原則」なるものを発表。その内容が、またもやアンビリーバブルでした。

その3つとは、

① 韓国内にTHAADを追加配備しない
② アメリカのミサイル防衛網に加わらない
③ 日米との軍事同盟を構築しない

というものです。

韓国側にしてみれば、米軍が配備したTHAADによる中国の安全保障上の懸念を払拭し、冷え込んでいた韓中関係を改善するのが目的でしょうが、日米にしてみれば、「いやいや、ちょっと待ってよ！」ですよね。前年2016年11月には、日韓GSOMIA締結で日米韓3か国が連携強化する流れができていたのに、韓国の所業は、それに水を差すことになったのです。

喜んだのは中国だけでしょう。

韓国経済の危機と、尹大統領の失態

アメリカは韓国に呆れ返っているのではないでしょうか。

前の文大統領は「米中、それぞれのおいしいところだけもらっちゃえ」という姿勢があからさまで、コウモリ外交とか二股外交などと言われていました。アメリカもそれをよくわかっているため、同盟国であっても、もう韓国のことは信用していないはずです。

しかし、アメリカが韓国のことを「信用できないから嫌い」と思っても、基地から引き揚げるわけにはいきません。もし撤退したら、レッドチームがやってきて、韓国はあっという間にやられてしまうに決まっています。地政学的に、米軍はそこにいなくてはならない理由があり、動きたくても動けないのです。

とはいえ、「韓国が嫌い」というアメリカの本音は、露骨に見えています。

THAAD配備による中国からの経済制裁に加え、米中貿易戦争の長期化によるグローバル経済の悪化と最大輸出国である中国の景気鈍化、そしてコロナショック……いくつもの要因が重なり、今、韓国経済は危機的な状況に陥っています。

同盟国がここまでひどいことになっているというのに、アメリカは、支援の手をほとんど差し伸べていません。2021年末、韓国が持つアメリカ国債を担保にお金を貸してはいますが、それまでアメリカが韓国にしてきた多大な支援を考えると、今回はあまりに冷たい対応です。

前の政権が韓国経済をめちゃくちゃにしてしまったせいで、新しく大統領になった尹さんは

大変だと思います。気の毒だとも思います。日韓関係を改善すると宣言しているのも、日本から支援を引き出して、韓国経済を立て直したいという思惑があるからでしょう。

もちろん、アメリカからの支援は喉から手が出るほど欲しいはず。ところが……やらかしてしまったんですね、大失態を。

2022年9月、尹大統領は、国連総会に合わせて訪れていたニューヨークで、バイデン大統領主催の会合に出席しました。その際、側近に話し掛ける姿が韓国メディアの映像に偶然写り込み、うっかりスイッチを入れたままにしていたマイクが拾った声までもが世界中に流れてしまいました。

出席していた会合は、エイズなど感染症対策を検討するものでした。そこでアメリカが60億ドルの出費を表明したことについて、尹大統領は、会議室をあとにする際、側近に向かって、こうつぶやいたのです。

「議会でこの野郎どもが承認してくれないと、バイデンは赤っ恥をかくだろう」

日本では「この野郎ども」と訳された、大統領がアメリカの議員を指して言った言葉は、韓国語の侮辱表現で、公の場で発してはならない卑俗語だということです。

韓国野党は、「国の品格が失墜した」「同盟国への冒瀆だ」などと猛非難。アメリカばかりかヨーロッパのメディアも「アメリカ議会への侮辱発言」などと報道し始めると、韓国側は問題収束に奔走することになりました。

「この野郎ども」は韓国議会を指して言った言葉であって、大統領の発言は「韓国議会が野党の反対で出資を承認しなければ、国が恥をかく」との意味だったと釈明。「バイデン」の部分は、他の単語との聞き違いだと主張しましたが、こうした弁解がさらなる批判を呼び、なかなか騒ぎはおさまりませんでした。

この騒動に関して、アメリカ側からの声は一切聞こえてきませんでした。ここまでのことをやってしまったら、尹大統領は叱られたり、咎められたりするほうが、気が楽だと思うのですが、アメリカは知らぬ存ぜぬの姿勢を貫いたのです。「どうでもいい、勝手にしろ」ということでしょう。

尹大統領は、このニューヨーク訪問を「外交面で成果あり」とアピールしたかったようですが、自らの失態でつまずいてしまいました。

ちなみに、大統領は、「なんでこんなものを、わざわざ字幕付きで放送したのか」と韓国メディアに噛みついたとか。メディアはきっと「スクープがとれた！」と、深く考えもせずに流してしまったのでしょう。メディア魂というやつでしょうか。いずれにしても、韓国メディアが米韓関係を壊す一助になったことは間違いないでしょうね。

日本政府は敵基地攻撃能力の必要性を表明するもツメが甘すぎる！

日本は台湾有事に必ず巻き込まれる

日本は敵国と仮想敵国に取り囲まれています。いつ何が起きるかわかりません。近い時期に起きる可能性が最も高いのは、中国の台湾への侵攻です。習近平国家主席は、虎視眈々とチャンスをうかがっています。「今だ！」と思えば、すぐに出ていくことでしょう。バイデン大統領は「アメリカが中国から台湾を守る」と明言しました。つまり、中国が台湾に侵攻したら、即座にアメリカが出張るということです。そうなれば、日本は必ず巻き込まれます。敵の味方は敵。アメリカと同盟を結ぶ日本は、中国にとっては敵以外の何者でもありません。しかも有事です。日本も中国の攻撃対象になるのは間違いないでしょう。

台湾有事が起きれば、中国と同じレッドチームの北朝鮮やロシアも出てきます。アメリカは「第3次世界大戦は起きる」と言い続けていますが、中国の台湾への侵攻がきっかけとなる可能性は決して低くありません。

ロシアがウクライナに侵攻したとき、すぐにアメリカが出ていくのではないかと思われていましたが、実際は、ウクライナへ武器や戦車の供給をするという後方支援に回りました。

「アメリカが参戦すると第3次世界大戦に発展する」などと言われており、それを避けるためだったという見解もあります。確かに、他の国と同様にアメリカも第3次世界大戦の勃発を恐れています。けれど、ウクライナ有事にアメリカが出張っていかないのは、それだけが理由ではない、と私は思っています。

アメリカは、近々起きるであろう台湾有事に備えて、力を温存しておきたいのです。それくらい台湾有事を現実的に受け止めて警戒している。

中国も、アメリカが、ウクライナ有事よりも台湾有事を警戒していることは、十分わかっているとは思いますが。

それでもまだピンとこず、「大丈夫だろう」なんて悠長に構えていられますか？

戦争というものは、突如やって来ます。ロシアのウクライナ侵攻がまさにそうでした。ロシアは兵士19万人ほどをウクライナとの国境近くに配備して、訓練だと言いながら、突然、ウクライナに入っていったのです。

「まさか急に侵攻してくるわけがない」は、侵攻される側の価値観であって、侵攻する側のそれとはまったく異なります。切羽詰まっているから、何をしでかすかわかりません。

日本は、こうした価値観の違う国々に取り囲まれている。

のほほんとしていたら、本当にヤバイんです。

「必要最小限の反撃能力」って何？

中国をはじめとする日本の周辺国の動きからして、さすがに「このままではいけない」と悟ったのか、2022年11月25日、日本政府は「敵のミサイル拠点などへの反撃能力、つまり〝敵基地攻撃能力〟を持つ必要がある」との考えを与党に示しました。

反撃能力の必要性を政府が示すのは、これが初めてでしたが、その理由として、政府は「迎撃が難しいミサイルで攻撃された場合、敵基地を攻撃する必要があるため」と説明。これに対して自民党と公明党は、「こうした状況もあり得る」との認識は共有したものの、日本が反撃能力を持つ必要性についての合意には至りませんでした。

やっとのことで「反撃能力」が議題に上った。それ自体は評価できますが、この期に及んで、まだ与党内で慎重な動きがあることには呆れてしまいます。しかも、ここまで日本は周辺国に挑発行為を受けているのに、「反撃能力は必要最小限にする」なんて呑気なことを言っている。これでは国民は不安になりますよね。なぜ「十分な反撃能力を備える」と当たり前のことが言えないのでしょうか。

これ、おそらく公明党が妨げになったのではないかと思います。

2022年11月初め、政府は、同年末に改定する国家安全保障戦略などに関して話し合っていたのですが、その際の中国の位置づけについて、自民党と公明党の認識が大きく違っていることが、報じられました。

自民党が「中国を脅威と位置づけたい」との考えを示したことに対して、公明党が難色を示したというのです。しかも公明党は、「反撃能力の対象に中国を想定していない」とまで発言。これにはさすがに自民党も反発しましたが、公明党の媚中《びちゅう》は露骨すぎます。

まぁ結局、２０２２年12月16日、国家安全保障戦略など安保関連３文書が閣議決定され、「敵基地攻撃能力」は「反撃能力」の名称で保有すると明記されました。さらに、年間約５・５兆円だった防衛費を、２０２３年度からの５年間で総額43兆円に増額することなども盛り込まれました。この計画は増税を伴うため、方々で侃々諤々《かんかんがくがく》、議論されています。

私としては、防衛費の増額は非常に現実的なことだと思います。ただ、その財源について増税ありきで話を進めることには疑問が残ります。まず政府は、歳出面でのムダ使いを一掃すべきではないですか。ムダを削減して財源を確保する努力をしていただきたいですね。

憲法改正、いい加減に前に進めてください!!

集団的自衛権の行使

憲法改正は、今こそ急務だと思います。

この国は、いったい、いつからこの話をしているの？　何年議論すれば前に進むのですか？　慎重にならなきゃいけないのもわかりますが、議論だけをだらだら続けている場合じゃないのではありませんか。

改憲でネックになっている9条は、戦争の放棄、戦力の不保持、交戦権の否認を定めていて、憲法の基本原則のひとつ「平和主義」を規定しています。「じゃあ、自衛隊は何？」ということで、ずっと議論されてきました。

「自衛隊は憲法違反」と言い切る専門家もいますが、これまで政府は「自衛隊は、我が国を防衛するための必要最小限の実力組織であり、憲法に違反するものではない」としてきました。

自民党の改憲案（日本国憲法改正草案）の中では、この自衛隊をきちんと憲法に位置づけ、自衛隊違憲論を解消すべきとしています。そして、自衛権についても言及すべき、と。

改憲反対派が引っ掛かっているのは、この部分でしょう。憲法9条では、自国を防衛するために必要最小限度の自衛権の行使は認めています。これまでの政府も、集団的自衛権（※）の

※「自国と密接な関係にある外国に対する武力攻撃を、自国が直接攻撃されていないにもかかわらず、実力をもって阻止する国際法上の権利」と定義されている

行使は、その範囲を超えるものであって、憲法上、許されないとしてきました。

ところが、安倍内閣は2014年、集団的自衛権行使容認の閣議決定を強行しましたよね。改憲に反対する人の多くは、この部分も問題視しているのだと思います。

でも、この章の冒頭でも少し触れましたが、集団的自衛権の行使は、非常に重要です。中国が日本を攻撃してきても、アメリカが助けてくれると思っていますか？　集団的自衛権の行使を認めないのであれば、中国がアメリカを攻撃しても、日本はアメリカを助けることはできません。ならば、日米の軍事同盟は何のためにあるのでしょう？

「自分たちには集団的自衛権の行使が認められていないから、アメリカを直接助けることはできない。でも、もし自分たちに何かあればアメリカが助けてくれる」

なんて〝お花畑な考え〟なのでしょう！

いざというときに、本当にアメリカが助けてくれるかどうかなんて、向こうの匙加減ひとつで変わるのです。お金をたくさん払っているからって、アメリカはセコムやアルソックじゃないんです。有事の際は自分たちの都合で動きます。「武器は提供するけど、あとは自分たちで戦ってね」と、ウクライナに対するのと同じような立場をとる可能性も大いにあります。日本を助けるために命を張ってくれる保証はどこにもありません。

当たり前です。日本は、「〝あなたが困っているときは助けてあげましょう〟と言ってくれている人が困っていても、私は、その人を助けるわけにはいかない」と明言しているようなものですから。これ、いったいどういう了見なのでしょう。どう考えてもおかしいじゃないですか。

私は集団的自衛権について、このように考えていますから、行使の容認には賛成です。

日本はロックダウンできない国

自民党は、改憲案の中で、「大地震が発生したときなどの緊急事態対応の強化」もあげています。集団的自衛権の行使容認も確かに大事だけれど、実は私は、こちらの方が重要な改憲のポイントだと思っているくらいです。

日本は、東日本大震災などこれまでの緊急事態には、都度、法律改正によって対応してきました。けれども、南海トラフ地震や首都直下地震などに対する備えや対応が必要とされている時代です。自民党は、緊急事態においても国会の機能はできるだけ維持するとし、しかし、それが難しい場合は、内閣の権限を一時的に強化し、迅速に対応できる仕組みを憲法に規定するとしています。

これがつまり、昨今、盛んに議論されている緊急事態条項、「有事の際には政府の一声で何でもできるようにする」ということです。

反対派の人たちは、政府によって国民の私権が制限されることを問題にしていますが、あくまで有事に限ってのこと。「人権を制限しながら国を守る」という意図なのですが、「国よりも私権を守ることのほうが大事」という意見もあるんですね。

新型コロナウイルスが感染拡大しているとき、G7の中でロックダウンしなかったのは日本だけでした。日本は国民のみなさんが優秀で、ちゃんとマスクをしますし、外出や外食の自粛要請にも多くの人が応えました。亡くなられた方もいるけれど、他の国に比べれば少ないほうでしたから、ピンとこなかったかもしれません。でも、日本は「ロックダウンできない国」で、それは、とても怖いことなんです。

今後、コロナ禍よりも、もっとひどい惨事が起きる可能性がないとは限りません。道端で人がバタバタ死んでしまうほどの恐ろしい感染症がパンデミックを起こしても、人権を優先するあまり、今の日本ではロックダウンができないのです。

緊急時には、私権にある程度の制限をかけながら、国を守っていかなくてはならない場合があります。憲法改正で緊急事態条項が取り入れられれば、感染症の感染拡大時に限らず、災害時や戦争下など、いわゆる〝有事〟の際に使えます。

コロナの感染拡大中に、道端で飲酒したり、マスクを外して騒いだりしている人がいましたが、日本の今の法律では私権を制限することができないため、注意だけで終わっていました。しかし、ロックダウンできるような国では、警察に捕まる可能性があります。

こんなことを言うと、「ほら、やっぱり！」と言う人もいるでしょう。確かに、悪く解釈をすれば、国が国民の人権を無視していくらでも暴走できる、ととらえることもできます。でも、「国家」というのは、国民と政府との信頼の上で成り立つもの。信頼を裏切れば国家は崩れていきます。

今、国に対して不信感を持っている日本人は多いでしょう。これは政府の責任ですから、政府は国民の信頼を得るべく、全力を尽くさなくてはいけません。

ただ、何事にも難癖をつける人もどうかと思いますね。日本の方々も、そういう人に流されないで、ちゃんと自分の頭で考えて、ちゃんと意見を持って、ちゃんと声をあげてほしいのです。面倒なことは全部、政治家をはじめとした他人任せで、何かあったら文句たらたら……そういう人が日本人には多い気がします。

こういうのはそろそろ終わりにしないと。そして、本気で声をあげていかないと！

日本の改定憲法は世界基準になる

改憲の話をすると「フィフィさん、戦争がしたいんですか？」と言う人がいますが、そんなこと、答えるまでもありません。他の改憲派の人もそうですが、戦争をしたい人などいないんです。

国を取り巻く状況や環境は刻一刻と変化しています。憲法というものは、それを見据えて変えていかなくてはならないもの。今の日本の憲法ができたのは70年以上も前のことです。もう化石のような代物なのです。

しかも、その憲法は、戦勝国のアメリカが日本に戦争を放棄させるために押し付けたものでした。矛盾する箇所もあります。「自衛はオッケーだけど戦力は放棄しなさい」なんて、冷静に考えてみると「どういうこと?」ですよね。

当時、THAADのようなミサイル迎撃システムがあったのなら、まだわかります。ですが、憲法ができた頃にはそんなものは存在しない。自国を守るためには何か能動的な行動が不可欠なのに、「戦力は放棄しろ」って、どうしろというのか、わけがわかりません。

日本は、ちゃんと国を守ることができるように、憲法を見直す必要があります。

今の改正案を議論していけば、日本に侵略戦争を許すような憲法には決してならないはず。「自衛」について、きちんと考えて盛り込めば、日本の改定憲法は世界基準の憲法になるでしょう。

アメリカも、改憲について反対していません。もし反対なら、アメリカのことですから、妨害してきます。それがないということは、反対どころか、むしろ改憲を望んでいるのではないでしょうか。

第２章（中国の脅威）

中国を好きにさせていいんですか？このままじゃ日本が乗っ取られる！

中国人の土地買収で日本の安全保障は脅威に晒されている！

中国人の資産隠し

日本を取り巻く「敵国」の中で、やはり、一番の脅威は中国です。

対中国の政策に関しては、国会でもたびたび話題になっているようですが、昨今、特に議論が活発なのが、中国人の土地買収問題です。

近年、中国系の企業などが日本の土地を買っていることはよく知られています。

企業にしろ、個人にしろ、中国人が日本の土地を買う理由のひとつは、資産隠しです。

一党独裁の中国では、法律をつくって個人や法人が持つ財産を没収するくらいのことは、いとも簡単にできてしまいます。2020年8月には、共産党の集まりを大規模にやること、結婚式を盛大にやることなどを「贅沢」とし、何の前触れもなく贅沢禁止令を出しました。

何らかの理由をつけられ、突如、資産を差し押さえられたり、没収されたりすることもある。中国の人民はわかっていますから、稼ぎが増えて裕福になると、資産隠しのために、海外に土地を買っておくのだそうです。

現金で持っておくと危ない。しかし、不動産バブルがはじけた自国で買っても仕方がない。ということで、日本に限らず、国外の土地を買うのですが、中国人にとって、距離的に近いですし、円安ということもあり、日本の土地は買いやすいのでしょう。

買われた土地はスパイ活動の拠点と化す

自身で使う目的にしろ、投資目的にしろ、ただ単純に「お金があるから日本の土地でも買っておこう」というのであれば、何の問題もありません。

中国人によって北海道や沖縄の土地が買い漁られていることは、メディアなどでもたびたび紹介されています。これらの場所には、海外からもたくさんの観光客が押し寄せますから、ここでリゾートを開拓してひと儲けしてやろうという目論見でしょうか。日本人としてはおもしろくないかもしれないけれど、これだけでは問題にすることはできません。

しかし、自衛隊や海上保安庁などの重要な施設周辺の土地まで、中国人や中国系企業に買われていることには、疑問を抱かずにはいられません。自衛隊や海上保安庁周辺は、人が生活するには辺鄙なところでしょうし、騒音もあるでしょうから、純粋な「土地の価値」は低いはず。安く買えるとは思いますが、日本人なら好んで買ったりはしないでしょう。

では、なぜ中国人は、そんな土地を買うのか？　それはスパイ活動の拠点にするためだろうと指摘されています。自衛隊のすぐ近くなら、有事の際、日本側の行動が手に取るようにわかります。外資による土地買収は、安全保障上、大きな問題になる可能性があるのです。

２０２３年２月、34歳の中国人女性が「日本の無人島を買った」とＳＮＳに投稿して物議をかもしました。その島は、沖縄本島から約20キロメートルのところにある屋那覇島という離島で、本人は「３年ほど前に、ビジネスが目的で購入した」と言っているようです。「将来的には自分が住むつもり」とも。

しかし、報道によると、その島の半分を所有しているのは、東京に本社を置く中国系のコンサルティング会社。女性との関係は明らかになっていません（女性の親族が経営する会社との説も）が、いずれにしても、この島は、住むためのインフラ整備はされておらず、果たしてリゾート開発が可能かどうかも不明だとか。

沖縄本島には米軍嘉手納基地や自衛隊の駐屯地もあります。この島からそれらの電波情報などをモニタリングすることは可能らしく、中国共産党から求められれば、所有者は必要な情報を提供する義務があるとして、専門家からは危惧する声もあがっています。

インフラを制圧される危険

安全保障上の問題は、スパイ活動の懸念だけではありません。

たとえば、北海道などでは水源のある土地が中国人によって買われています。綺麗な水、美味しい水を中国に持っていかれてしまう経済的な問題もありますが、水源を押さえられてしまうと、有事の際、日本の水をコントロールされる可能性があるということです。

つまり、取水制限をしたり、毒を入れて飲めなくしたり……これは、非常にリスキーです。

発電の用地も同様です。昨今、日本のあちこちで太陽光発電や風力発電が盛んに行われるようになりましたが、そうした土地が中国人や中国系企業に次々と買われているといいます。

太陽光発電や風力発電は持続可能なエネルギーということで、今後ますます需要が高まるでしょう。しかし、その土地を外資が持っていたらどんなことが起き得るのか。「この施設は使わせません」と所有者から言われたり、所有者によって設備を壊されたりすると、エネルギーの供給がストップしてしまうのです。

安全保障上、大きな問題をはらんでいることは、ちょっと考えれば容易に想像がつきます。

ついでにもうひとつ言っておくと、日本が太陽光発電に使っているソーラーパネルの多くは、中国製。中には日本のメーカーが国内で組み立てているものもありますが、部品の多くは中国製だということです。そして、その製造の過程で過酷な労働条件を強いられているのは、ウイグル族の人々。中国政府による少数民族であるウイグル人への弾圧は、人権侵害であると世界中で問題視されていますが、日本の太陽光発電事業は、その片棒を担ぐことになるのではないかとアメリカは指摘しています。

外資による土地取得の規制は何の縛りにもなっていない⁉

日本の国会議員たちは及び腰

世界の多くの国では、外国人が自国の土地を所有することを禁じるか、厳しく制限しています。ところが、驚くことに、少し前まで日本では、中国をはじめとする外国人による土地買収が野放し状態。与野党から根強い反対があり、法整備が進まなかったようなのです。

議員はそれぞれの地元に地盤を持っています。地方では土地を売りたがる人も多いですし、なんらかの形で外国資本（特に中国資本）を誘致しているところもあります。ですから、地元を大事にしたい議員にとっては、中国に代表される外国資本が日本の土地を買うことを制限する法律をつくるというのは、腰が引ける。地元を敵に回すことにもなりかねませんから、規制に反対する議員も少なからずいたようなのです。

しかし、日本の土地が外資に次々と買われている現状は政府としても看過できず、やっとのことで法が整備される運びとなりました。

2021年6月、中国をはじめとする外国資本が、スパイ活動やテロ行為など不適切な目的で日本の土地を取得したり、利用したりすることを防止する目的で、「重要土地等調査・規制法」が成立、2022年9月から全面実施されています。

規制の対象となるのは、自衛隊や海上保安庁の施設をはじめ、原子力発電所の周囲1キロメートル以内の土地、領海などの基点となる離島です（実は、これまでには離島も相当買われていて、たとえば、奄美大島や五島列島の福江島には中国資本が、対馬島には韓国資本が入り込んでいます）。

法律では、これらを「注視区域」とし、土地の利用状況を調査できるとしています。区域内に大きな構造物を建てて電波を妨害したり、ライフラインを寸断したりするなど、施設の機能を妨げて日本の安全保障を脅かす行為があれば、所有者に中止を勧告・命令できるとされています。従わない場合は、懲役2年以下の罰則もしくは200万円以下の罰金を科すことができます。

また、規制の対象のうち、特に重要なところは「特別注視区域」とされ、一定面積以上の売買には事前に国籍や氏名の届出が義務付けられました。これら政府が指定する区域の候補は、全国で600か所以上になるということです。

防衛省の周辺は買収可能

どうにかこうにか法律ができて、「一歩前進」との声もありましたが、一方で、基準がゆるすぎて「何の縛りにもならない」という厳しい指摘もあります。私も同感です。

法律によって、外資による土地や建物の利用状況は把握しやすくなりますが、取引そのものを防げるわけではない。実際に妨害行為が起きるまで、日本側は何の対処もできないのです。

誰が見ても、これでは不十分。既述したように、海外諸国では多くが、外資による土地所有を厳しく制限しています。たとえばアメリカでは、外資が軍事施設周辺の不動産を購入するときには審査が必要です。大統領には取引を停止する権限も与えられています。

また、日本の法律では、注視区域の設定は、自衛隊の基地や原子力発電所などの重要インフラ施設の1キロメートル以内、国境に近い離島などと定められていますが、アメリカでは、軍・政府施設の場合、周囲最大100マイル（約160キロメートル）の距離をとっています。つまり、「100マイル以内の不動産はそう簡単には外資に買わせない」ということです。日本の規制1キロメートル以内というのが、いかにゆるい縛りかがわかります。

さらに由々しきことに、日本の場合、経済活動への影響が大きい市街地については、当面、対象区域から外されているのです。これ、どういう意味かわかります？

日本を守る要となる防衛省。その本省は都心部の市ヶ谷にあります。経済活動への影響が大きい市街地です。つまり、今のままでは、防衛省の隣の土地を中国が買い占めることもできるのです。アメリカで言うなら、ペンタゴンの周りの土地を外国人が買えるということ。

有り得ない！　結局、この法律は、識者などがやいのやいの言うから、見せかけで成立させた、という印象です。政治家の中には中国とのつながりが強い人もたくさんいます。裏でそうした人たちが暗躍しているのでしょうか。何だかスッキリしません。

しかも、この法律だけでは防げないこともあるのです。

「うちら外資ですよ」と相手が名乗ってくれればいいのですが、ダミーで日本人や日本の法人名義で取引されてしまったら、この法律は何の役にも立ちません。実際、これまでにも相当数の不動産がダミーによって取引されていると見られています。表向きには、日本資本で買われたことになっていて、名義は日本人や日本の法人でも、実質的な所有者は外国人や外国企業というパターン。これをどう取り締まるか。日本の課題は山積みではないでしょうか。

中国依存からの脱却で経済安全保障を強化する動きを歓迎

経済安全保障の必要性

昨今、経済的手段によって安全保障の実現を目指す、「経済安全保障」の必要性が世界中で叫ばれています。

日本でも、2022年5月11日、経済安全保障に関する法律が可決・成立しました。法律が成立した背景はいくつかありますが、ひとつには、間違いなく、日本の〝中国依存〟があげられると思います。日本のみなさんもコロナ禍で痛感されたのではないですか。

国民が一斉に買い求めたマスクは、7割近くが中国製だったということがわかりました。

一時期は国内がマスク不足になって、みんな戦々恐々としていました。このときの不足の原因はコロナ禍で需要が増大したことですが、平時であってもマスクを必要とする人はいます。それなのに、「日本にはもうマスクを輸出しません」と中国が言えばどうなってしまうのでしょう。医療関係者にマスクは絶対必需品です。

国民が生きるために欠かせない物資の供給を特定の国に依存するのは、とても怖いことだと身をもって学びました。

ときに外交手段のひとつとして、輸出をストップさせる事態も起き得ます。実際、2010年9月に尖閣諸島沖で中国船の船長を日本側が逮捕したタイミングで、中国がレアアース（※）の日本への供給を制限したことがあります。船長の逮捕に対する中国側の報復・圧力だったという説もあれば、たまたまそのタイミングだっただけで、中国はもともとレアアースの日本への輸出を制限するつもりだったのではないかという見解もありました。

また、2023年になってからも、中国は「国家安全のため」にレアアース磁石の製造技術の輸出禁止を検討していることがわかっています。

いずれにしても、中国に頼り切っていると、あちらの匙加減ひとつで日本は大変な目に遭ってしまいます。

日本に限らず、特に製造業においては、人件費や材料費などの安さから、中国で生産、あるいは部品を調達している国は少なくありません。中国は「世界の工場」と言われているほど。

とはいえ、他の先進国と比べても、日本の中国への依存度は高く、内閣府の調査によると、2019年時点で、日本が海外から輸入している品目のうち、携帯電話やパソコンなど1000を超える品目で、輸入額に占める中国の割合が50%を超えていることがわかりました。ちなみに、アメリカでは590品目、ドイツでは250品目となっています。

内閣府は、輸入先の中国で何らかの供給ショックや輸送の停滞が生じた場合、日本はアメリカなどに比べて多くの品目で代替が難しく、大きなリスクがあると指摘しています。

台湾有事が起きるなどして、中国との敵対関係が明確になったとき、1000を超える品目が日本では枯渇する可能性があるわけです。

こうした理由もあって、日本では〝脱・中国依存〟の動きが徐々に進んでいます。

政府は2020年度から、生産拠点の国内回帰や多元化を図るための補助金を企業に支給し

※ハイブリッド自動車や液晶パネルの製造など日本の産業にとって欠かせない希少金属の一種

ています。補助金の正式名称は、「サプライチェーン対策のための国内投資促進事業費補助金」。2020年度に203件、2021年度に151件、2022年度に85件の事業者が、それぞれ採択されています。これまで中国の工場や生産ラインなどに投資してきた日本企業にとって、中国からの撤退は勇気が要ることです。しかし、先のリスクを考え、また円安などの事情もあって、生産拠点を日本に戻す、または、別の国に移す日本企業が増えているのです。

この動きに私は賛成です。軍事的安全保障面でも然《しか》りですが、経済的安全保障面を考えても、中国とは、はっきり距離を置くべきなのです。

中国は、何をしでかすかわかったものではありません。

2022年12月にゼロコロナ政策を転換してから、中国ではものすごい勢いで感染が広がりましたよね。危惧した日本は、中国からの入国者に対する水際対策を強化したのですが、これを受けて中国は、日本人を対象にした新規のビザ発給業務を停止しました。

中国側は「差別的な入国制限への対抗措置だ」と説明しましたが、要するに、日本の水際対策にブチ切れてしまって、わけのわからない対抗措置を取ったのです。

中国からの入国者に対して水際対策を強化したのは日本だけではありません。韓国は日本よりも厳格な対策を取っており、同じく中国の対抗措置によりビザ発給業務を停止されていますが、日本に対するほうがより厳しくなっているんです。どういうことなのでしょう⁉

日本人に対するビザ発給の停止は短期間で解除になりました。そりゃそうでしょう。日本人の入国を禁止して困るのは中国です。経済が止まってしまいますからね。「じゃあ、最初からそんなことはしなければいいのに」と思いますが、やってしまうところが中国なんです。人民に対するポーズの意味もあったのでしょう。

とにもかくにも、中国とはまともに付き合うべきではありません。このままでは経済面でも大変なことになってしまいます。日本の企業は〝チャイナリスク〟を回避すべく、中国から脱却したサプライチェーンを構築していくのが正解でしょう。

２０２３年3月、北京に駐在する日本企業現地法人幹部の日本人男性が北京市の国家安全局に「反スパイ法」違反の疑いで拘束されましたよね。中国側は具体的なことを明らかにしていません。見せしめのためとか、情報を得るためとか、拘束の目的はいろいろと取り沙汰されていますが、いずれにしても、事実関係を明らかにしないで身柄を拘束するのは人権侵害だという批判の声も方々であがっています。

今回に限ったことではありません。反スパイ法が施行された２０１４年以降、この男性を含めて、少なくとも17人の日本人の拘束が確認されています。

状況がはっきりしないだけに、「いつ自分が拘束されるかわからない」と、日本企業の駐在員は戦々恐々としているといいます。このようなことが起きると、会社側もチャイナリスクを意識せざるを得ないのでは？

中国の〝脅威〟を物語る「国防動員法」と「国家情報法」

習近平とプーチンの頭の中は同じ

２０２２年9月、ロシアによるウクライナ侵攻の最中、プーチン大統領は「部分動員令」というものを発令しました。国民を強制的に戦場に駆り出す動員令ですが、これが発令されたのは、第２次世界大戦後初ということで、ロシア国民の間に大きな動揺が広がりました。

この動員令では30万人を動員するということで、プーチン大統領は、「軍事経験のある予備役」で「特別な技能や経験を持つ者」を優先すると発表しました。しかし、実際には、高齢者や軍務経験のない人など、本来なら除外されるべき者にも召集令状が届けられていたとかで、結局のところ、無差別な動員だったことが指摘されています。

これを知った私は、プーチン大統領は、私たち西側の人間とは完全にマインドが違うことを思い知らされました。また同時に、中国の習近平の〝恐ろしさ〟も、改めて痛感させられました。習近平のマインドは、プーチンとまったく同じなのです。

プーチンが部分動員令を発令する２年ほど前の２０２０年12月26日、中国では、改正「国防動員法」が制定・公布され、2021年1月1日に施行されました。

いろいろと細かな規定がある法律ですが、簡単に言うと、「有事の際、国が召集したら人民は国防義務に就かなければならない」というもので、18～60歳の男性と18～55歳の女性が対象になっています。

要するに、プーチンが発令した動員令と同じようなものですが、この法律が中国で施行されたのは、平時でした。習近平が虎視眈々と台湾に侵攻するチャンスをうかがい、着々と準備を進めている証左ではないでしょうか。

中国人民に課せられるスパイの義務

もうひとつ、中国で恐ろしいのは、「国家情報法」の存在です。

この法律は、「国の情報活動を強化、保障し、国の安全と利益を守ること」を目的として、2017年に施行されています。

目的だけを見ると、どこの国にもありそうな法律ですが、怖いのは、「中国の人民や組織は、中国政府の情報活動に協力する義務がある」ことが示されている点。

これはつまり、「中国の人民や企業は、中国政府からの指示があれば、スパイとして活動する義務がある」ということです。

政府からスパイ活動を命令されたら拒否することはできません。これは、有事に限ったことではありませんし、在外の中国人や中国企業にも適用されます。

日本が好きで、日本で普通に暮らしている中国人が、ある日突然、中国当局の指示でスパイ行為を働かざるを得ないことになるかもしれないのです。

違法行為だとわかっていても、「国家」からの命令であれば、指示に従うしかありません。これが「国家情報法」の恐ろしさ。

スパイ活動を取り締まる日本の公安当局によると、ロシアや北朝鮮では、特殊訓練を受けた〝プロフェッショナル〟がスパイ活動を行いますが、中国の場合は、一般の人民を巻き込んだ人海戦術が特徴だそうです。「国家情報法」の施行によって、さらにその傾向は強まっているとか。

中国恐るべし！　日本の警察は、中国による情報活動の実態解明に力を入れています。

今、日本で生活する中国国籍を持つ人は80万人にも上ります。もちろん「中国人である」ということだけで差別行為があってはいけません。しかし、「国家情報法」がある限り、この人たちすべてが、あるとき突然、スパイになる可能性があるということです。

警戒してかからなくてはならないと思います。

中国のハニートラップは日本人にも日常的に仕掛けられている！

議員会館を闊歩する中国人スパイ

自民党のある議員の中国人女性秘書をめぐり、ハニートラップ疑惑が浮上して、大きな話題になったことがあります。

ハニートラップ（＝甘い罠）。機密情報などを得る目的で、主に女性が男性に対して色仕掛けで誘惑したり、弱みを握って脅迫したりするスパイ活動のこと。略してハニトラ。

さて、問題の議員ですが、「週刊文春」（２０２１年12月23日号）によると、あるとき、日本の国籍を取得した中国系日本人から、一人の中国人女性を紹介されます。彼女を気に入った彼は、やがて彼女に外交秘書の名刺や、議員会館内を自由に行き来できる通行証を渡し、自分の事務所にも出入りさせるように。また、彼女を同伴して、日本人支援者や中国系企業幹部らとの会食もしばしば行っていたとも伝えられていました。

議員の事務所は、この中国人女性はボランティアとして無償で働いていたと説明しています。

しかし、彼女は実質的に秘書業務を行っており、この報酬を中国系企業が肩代わりしていたことが、政治資金規正法違反に当たるとの疑惑も浮上していました。

報道が本当なら議員を辞職すべき、という厳しい声があちこちからあがったのは無理もありません。政治資金規正法違反の疑いも問題視されましたが、外国人に秘書をやらせたり、議員会館内を自由に歩かせたり、そうした行為が、国家機密を中国に漏らすことになっているのではないかと心配する声も多かったのです。

結局、この議員が辞職することはありませんでした。そして、ハニトラ騒ぎもおさまり、人々がこの件を忘れかけた頃、同議員にまつわる、さらなる〝異常事態〟が、「週刊新潮」（2022年11月17日号）にスクープされたのです。

中国は、海外に住む中国人の共産党批判や反体制運動を取り締まるのを目的に、警察の出先機関を海外に設置していると言われています。これは国の主権を侵害する重大な違法行為であり、中国の〝海外警察〟は違法拠点ということになるのですが、欧米など53か国で確認されており、日本でも東京などに2か所あるらしい。

週刊新潮の記事によると、中国の公安局が中国国内向けに公開した海外拠点のリストには東京都千代田区の住所が記されているそうで、その住所には、ある社団法人が登記されており、この団体を隠れ蓑に、中国の公安が〝海外警察〟の活動を行っている懸念があるというのです。

問題はここからです。なんと、この団体の常務理事として名前があがっているのは、件《くだん》の議員をハニトラにかけたのではないかと言われた中国人女性。しかも、その議員は、この団体の〝高級顧問〟という役職に就いていたというから驚きです。

これが真実なら、この議員は、どれほどの甘い罠を仕掛けられていたのでしょう⁉ 日本の大事な情報は中国に筒抜けになっているのではないですか。これ、許していいのでしょうか。

自衛隊員の国際結婚

ハニトラが盛んな中国では、日本の要人が参加する中国主催のパーティなどには、必ずと言っていいほど美しい女性を送り込むそうです。参加する日本人男性は、中国によるハニトラのことを知っていて、一応、警戒はするのでしょうが、アルコールが入るとガードもゆるくなりますよね。ターゲットの異性の好みまで情報を入手しているそうですから、まんまと罠にはまってしまう人も少なくないといいます。

橋本龍太郎元首相も、中国のハニトラに引っ掛かったことで有名です。首相になる以前の1970年代末頃、ホテルのロビーにいた橋本さんの目の前で、ある中国人女性がハンドバッグを落とします。これが二人の出会いですが、偶然ではなく、すべて計算ずくの工作だったようです。

甘い罠に掛かって、二人が男女の仲になるだけなら、それが不倫関係であろうが、日本国民にとっては、たいした害にはなりません。問題は、国家機密のような情報が盗まれたり、ハニトラにかかった政治家が中国に有利な働きかけをするようになることです。

橋本さんを罠にかけた女性は、北京市公安局の情報工作員でした。そして、のちに、彼女が関与する北京市と長春市の病院への援助とODA（政府開発援助）で26億円が送られましたが、これは橋本氏の働きかけが効いたのではないかと言われています。

橋本さんの件は、もう随分と前のことですが、今も、日本の要人がハニトラのターゲットにされる状況は少しも変わっていないのです。

また、自衛隊員もターゲットにされているようです。ある軍事評論家の方に聞いたのですが、自衛隊の駐屯地の周辺には、自衛隊員を当て込んだパブやバーがあるそうです。都会と違って周囲に遊興場所がないため、彼らは、そうしたパブやバーを憩いの場にするそうですが、そこでもハニトラが繰り広げられるんですね。

中国人女性をたくさん送り込み、自衛隊員と恋愛関係にさせて、あわよくば結婚させる。彼らは防衛など軍事に関する重要な情報を持っています。それが目的ですね。結婚してしまえば、妻に情報を漏らしたからといって、日本の場合は、咎められることもありません。海外では、重要な機密を持つ任務に就いている人は、国際結婚が制限される国も存在するというのに。

ちなみに、自衛隊員の国際結婚の7割ほどは、妻が中国人というパターンだそうです。

日本の情報は中国にダダ漏れ状態なんじゃないでしょうか。

法の整備が不十分な日本はスパイ天国でやられ放題

ハニーに義理堅い日本人

ハニートラップに掛かると、すぐわかると言われています。

たとえば、政治家の場合。それまでは中国に強硬派だった人が、穏健派と言いましょうか、急に中国に対して甘々な姿勢になって主張も変わってくるそうです。

そうやって日本の国益が損なわれるのかと思うと、歯痒くて仕方がありません。日本は中国にやられっぱなしではないですか!!

もちろん、ハニトラを仕掛ける国は中国に限ったことではないでしょう。中国にしても、日本人だけに罠を仕掛けているわけではない。ただ、日本人が罠に掛かりやすい、つまり「ちょろい相手」であることは確かだと思います。

海外の場合、たとえハニトラのターゲットにされたとしても、おいしいとこ、ろ、だけをいただいて、相手が求める情報などは渡しません。

「だってそっちから来たんでしょ」

そう言って開き直ってしまうんです。賄賂なんかにしても同じですよね。「くれるって言うから、もらっただけ」

仕掛けた側は「えっ⁉　それはないんじゃないの？」と思ったとしても、元々の企みが良からぬことですから、公にすることもできません。

ところが日本人の場合、「もらった限りは、ちゃんとお返しをしなければ」と義理堅いところがありますよね。だから、すぐに引っ掛かってしまう。本来なら美徳とも言われる日本人の特質が、こんなところで裏目に出てしまっているんです。

日本にない「スパイ防止法」

日本人がハニトラに掛かりやすいのは、義理堅い民族性だからですが、それだけではありません。日本がスパイ天国になっているのは、法の整備が不十分だから。これが最大の理由です。

諸外国には、どこでも「スパイ防止法」などスパイを取り締まる法律があります。

「反逆罪」といって、国家や君主に対する忠誠義務違反の罪も制定されています。国の機密事項などを海外に漏らしたりすると、この罪に問われることがあり、最悪、死刑が宣告されます。

反逆罪はそれだけ重罪だということ。海外の人がハニトラに掛かっても、おいそれと大事な情報を漏らしたりしないのは、バレたら重罪に問われるから。

法律がちゃんと抑止力になっているのです。

ところが、日本にはスパイ防止法も反逆罪もありません。日本における外国人のスパイ行為が罪に問われることはありますが、発覚したときにはもう、多くは国外に逃亡しています。

2020年にソフトバンク機密漏洩事件（※）がありましたが、関わったとされるロシアの元外交官は警察の出頭要請に応じず出国して、無事に帰国してしまいましたしね。

しかし、なによりも危険で要注意なのは、日本人のスパイです。

ハニトラに掛かっている人も含め、敵国に情報を流し、結果的に日本の国益を損なわせている日本人は、いたるところに存在しているはずです。

こうした輩を徹底的に取り締まる法律がないのが、日本の弱点。もちろん、スパイ行為を働いた者が捕まることがないではありません。しかし、スパイに関するきちんとした法律がないため、罪が軽いのです。

なぜ日本ではスパイを防止することができないのか。

そんな議論になると、必ず出てくるのが、「民主主義に反する」とか「プライバシーの侵害になる」とか「個人の行動を制限することになる」といった意見。

だけど、まず考えるべきなのは国益でしょう。国が危うくなってしまったら民主主義もへっ

※ソフトバンクの社員が、ロシアの元外交官から報酬を得る目的で同社の営業秘密を不正に入手し、不正競争防止法違反の容疑で逮捕された。懲役2年執行猶予4年、罰金80万円の有罪判決

たくれもあったものじゃない。

国益を守って国が存続して初めて、民主主義、個人のプライバシー、自由があるのです。日本ほどの先進国にスパイ防止法がないほうがおかしい。こうした法律を制定するのは当たり前だと思います。国家が持つ、当然の「防衛の権利」です。

日本において、この問題が本気で議論されないのは、スパイの張本人たちが中枢にいるからではないでしょうか。これが私の推測です。

自分がスパイ行為を働いているとしたら、それを取り締まる法律など、怖くてつくる気にはなりませんよね。本気で議論して法律ができてしまった暁には、自分たちが真っ先に罪に問われてしまいます。

このままいくと、日本はいつまで経ってもスパイ天国です。ここらで悪循環を断ち切ってください。すでにハニートラップに掛かっている政治家の方は、正直に国に報告しましょう。そして、国も報告と引き換えに、その人を免責にする。その上で、前に進んでいきませんか。日本はすぐにでもスパイ防止法や国家反逆罪などを盛り込んだ法律を制定するよう動き出すべき。日本政府は危機意識を強く持ち、速やかに対応して欲しいと思います。

世界各地に置いた「孔子学院」は、中国の世論工作活動の〝リアル拠点〟だった！

SNSにヘンテコな日本語の書き込み

２０２２年9月28日、アメリカのシンクタンクが、世界各国の人々の中国に対する意識が、習近平国家主席になってから急激に悪化しているという調査結果を発表しました。

中国は世界で嫌われている――。

この発表は、中国にとって非常にタイミングがよろしくないものでした。というのも、18日後に始まる共産党大会で、習主席が異例の第3期続投を表明しようとしていたのです。そんな中でのこの発表は、印象が悪すぎる。そうでなくても、習主席は、ＩＴ企業を締め付けたり、ゼロコロナ政策を推し進めたりして、中国経済をめちゃくちゃにしたと国内外から批判の目を向けられているというのに。

アメリカのシンクタンクの調査結果は、世論の誘導という効果を持っています。そのことは、中国もよくわかっているはずです。中国自身が世論工作に力を入れているのですから。

韓国が世論工作に長《た》けているのは第7章でもお話ししますが、中国もかなり盛んです。中国の世論工作員はＳＮＳを駆使するのですが、２０２２年9月にはアメリカ国内で、それが摘発されてしまいました。Facebook と Instagram の親会社である Meta が、11月に行われるアメリカ議会の中間選挙を控え、アメリカ世論の分断や混乱を招くことを目的に、中国が偽情報を流していたとして、ＳＮＳの当該アカウントを削除したと発表したのです。

中国の、アメリカにおける工作活動は、２０２０年の大統領選挙のときにも行われたと見られています。大統領選を前に、アメリカ社会を混乱に陥れようとする意図の書き込みが、ＳＮＳ上に大量に投稿されました。しかし、英語に漢字が交ざっていたり、意味不明な文章が含まれていたりして、いかにもな投稿がほとんどだったといいます。

確かに日本のＳＮＳでも、日本語が明らかにおかしい書き込みを、ちょくちょく見かけます。私のツイートに対するリプの中にも、ヘンテコな日本語のもの、完全に中国語のものも散見されます。「中国は何もおかしなことはやっていない」と主張する日本人からのメッセージでも、よくよく読むと妻が中国人だったりしました。

どこからどこまでが、中国が国家としてやらせている工作かはわかりませんが、少なくとも、私が目にする書き込みの何パーセントかは、中国の世論工作の一環によるものでしょう。

中国は、他国の世論を混乱させる目的でも工作活動を行いますが、自国の印象を良くするための世論工作も行います。人権弾圧批判への反論などは、まさにそうですよね。

新型コロナウイルスへの対応、少数民族への人権弾圧、強制労働、威圧的な外交姿勢――。こうしたことが原因で、世界における中国のイメージは大幅にダウンしています。ですから今、中国は自国のイメージアップのため躍起になって世論工作活動を展開しているのです。

そんなときに、「中国は世界で嫌われている」という調査結果が発表されたわけです。中国側は、たまったものではないでしょう。「ウソだ」「デタラメだ」「アメリカによって歪曲された報告だ」などと必死に反論しましたが、さて、世界の人々はどちらを信じるのでしょうか。

日本にもある孔子学院の脅威

国をあげての世論工作にSNSを活用するのは、何も中国に限ったことではありません。ロシアもまた、2020年のアメリカ大統領選の際には、SNSを駆使してアメリカ世論の誘導、分断や混乱を招こうとしたと言われています。

こんなふうにSNSを使った工作では、工作員の活動場所はサイバースペースということになるのですが、一方で中国は、世論工作のための〝リアル拠点〟を世界各地に置いてもいます。「孔子学院」がそれ。中国語と中国文化に関する教育機関として、中国が、世界の大学などと連携して、各地に設立しています。

2004年、ソウルに初の海外学院が設置されたのを皮切りに、世界各地に開校、2019年末時点で162の国や地域に550か所。日本でも立命館大学、桜美林大学、北陸大学、札幌大学、早稲田大学などとの提携で13か所（2022年3月時点）も置かれています。

表向きには、その主な目的は「海外で中国語と中国文化を教えること」とされています。しかし、運営の透明性が確保されておらず、いったい何をしているのか、よくわかっていないところもあるのが孔子学院です。そのため、「中国共産党のスパイやプロパガンダ（政治宣伝）の機関」との指摘もあり、アメリカやオーストラリアでは、孔子学院を「安全保障や学問の自由に対する脅威」とみなしてもいます。

そりゃそうですよね。提携大学ではいろいろな研究をしているでしょうし、大事な秘密情報や独自の技術などもあるでしょう。そうしたものが中国に筒抜けかもしれないのです。孔子学院で学ぶ人たちは、知らず知らずのうちに、中国のプロパガンダに毒されているかもしれないのです。「脅威」以外の何物でもありません。

近年、欧米では孔子学院を閉鎖する動きが広がっています。これを受け、日本でもやっと議論が始まり、2021年5月、政府は、「文部科学省はじめ関係省庁が連携して、運営の透明性を確保していく」との考えを発表しました。日本にある孔子学院に対して「情報公開を促していく」とも。

文科省によると、日本国内の大学構内に設置されている、外国政府が事実上支配する文化拠点は、孔子学院だけということです。学問の自由を掲げる日本の大学構内に、共産党独裁国家の拠点がある。これが果たして健全と言えるでしょうか。

日本では、これまでに2学院が閉鎖したものの、残りは放置。国からの情報公開の要請に応じていない学院もあると聞きます。こんなのを野放しにするなんて、「情報を盗んでください」と言っているようなものではないですか。だから日本は「スパイ天国」と呼ばれてしまうのです。

モンスターと化した中国が暴れている！

中国を見誤ったアメリカ

アジアの国同士、団結することが必要――。

旧著『おかしいことを「おかしい」と言えない日本という社会へ』では、私は、こんなことを書きました。

本書では、やれ中国は敵だ、やれ韓国は仮想敵だ、などと言っておきながら、「おかしいじゃないか。言っていることが矛盾してないか？」と思われるかもしれません。いやいや、あのときと今とでは、状況が違うのです。

時代は目まぐるしく流れていきます。旧著を出したのは2013年。10年も経てば、当然、国際情勢は変化します。この間に、韓国は前以上に反日感情むき出しの外交を展開するようになりましたし、北朝鮮は以前にも増してミサイル発射実験という挑発行為を繰り返すようになりました。両国の日本に対する姿勢ははるかに硬化しているように感じますが、最も変化したのは中国です。この国の変化には、アメリカをはじめとする世界中が驚いています。

今、米中関係は最悪とも言える状況です。2018年頃から両国の対立が激化していったのですが、実は、それより前には、アメリカは中国に対して期待していた時期があるんですね。中国は改革開放政策を展開していましたから、アメリカは、中国がもっと開かれた国になることを期待して投資をしました。日本も同じ理由から、やはり中国に投資しました。

そのお陰で、中国は世界第2の経済大国にまで登り詰めたのです。「経済が大きくなると、自由な発想が生まれてきて、社会主義思想は薄れていくのではないか」と、アメリカも日本も、中国が民主化することを期待しました。ところが、中国は経済が発展して豊かな大国になっても、社会主義思想を捨てることはありませんでした。それどころか、思想的には、むしろ逆行したのです。

習近平国家主席の憧れは、毛沢東です。毛沢東と言えば、中国共産党の最高指導者として中国革命を勝利に導き、中華人民共和国を建国した人です。悪名高き文化大革命を推し進めた人物でもありますが、習主席はこの人に憧れているものだから、あの時代を踏襲したかったのでしょうね。せっかく少し開かれていたように思えていた窓をピシッと閉めて、国を完全なる社会主義思想のもとで統治しようとしたのです。

しかも、中国には、「自分たちが一番！」という〝中華思想〟なるものがありますから、手に負えません。習主席は世界を制覇してやるという野望を持ち、突っ走るようになってしまったのでした。習主席の強権ぶりは目に余るものがあります。

中国を見誤った――。アメリカはこう表現していますが、今の中国を語る際には、ピッタリの言葉。まさか中国がここまでのモンスターになるとは、誰も考えなかったと思います。

日本のすぐ隣でモンスターが暴れている

２０２２年10月23日、習主席は中国共産党の総書記に３選されて、自身に忠実な人物を集めた新たな指導部を発足させ、異例の３期目政権に突入しました。２０２３年３月10日には、中国の国会にあたる全国人民代表大会（全人代）で国家主席にやはり３選されましたが、国家主席を３期務めるのは、中国建国の父・毛沢東以来ということです。

全人代が閉幕して３期目の習指導部が本格始動した矢先の２０２３年３月20日、習主席はロシアを訪問し、プーチン大統領と会談しました。

ちょうど岸田首相がウクライナを電撃訪問したタイミングと重なり、世界のメディアが注目。岸田首相が中露首脳会談のタイミングを狙ってウクライナを訪問したのかどうかは定かではないけれど、世界に大きなインパクトを与えたのは確か。中露の〝ならず者国家〟ぶりが浮き彫りになりました。

習主席が、新体制発足後初のタイミングでロシアを訪問先に選んだのは、〝レッドチーム〟の連携を確認することで、アメリカへの対立軸を改めてアピールしたかったのではないでしょうか。中国もロシアも、双方ともに国連安保理常任理事国でもあることですし、自分たちの体制の維持に有利な国際秩序を作り出す狙いがあるとみられています。

どうです？　習主席の、この思惑。

習近平独裁の中国というモンスターは、日本のすぐ隣で暴れているのです。いつ矛先が日本に向けられるかわかりません。

何度でも言います。「いざとなったらアメリカが助けてくれる」は甘すぎます。

自分の国は自分たちで守らないと！

こんなことを言うと、「軍国主義的」などと言って嫌がる人もいます。国を守るためには軍事的な研究も当然、必要です。ところが、日本の中には、「軍事的な研究をするのは戦争に向かっている証拠」などと主張して、軍事研究を阻む勢力もあると聞いています。

いや、それ、違いませんか？　と私は思うのです。

日本は、改憲を含め法の整備を急がなくてはなりません。

第３章（外国人留学生、外国人労働者）

優遇される外国人留学生と大量受け入れの外国人労働者。その裏にある同一のカラクリ

首相、留学生は誰にとっての宝だとおっしゃるのですか⁉

日本人学生と海外からの留学生、どちらが大事？

我が国の宝とも言える留学生――。

2022年3月3日、岸田首相の口から飛び出した言葉が波紋を呼びました。

新型コロナウイルスの蔓延を受け、一時期、日本では、日本人を含め外国からの入国が制限されていたことは、みなさんもご存知の通りです。特に、オミクロン株への対策として、2021年11月より水際対策は強化されていましたが、2022年3月1日から緩和、1日当たりの入国者数は3500人から5000人に増やされました。

しかし、与党からはさらなる緩和を求める声が高まり、これを受けて岸田首相は、3月14日から入国者数の上限を現行の5000人から7000人に引き上げると発表。さらに、留学生に限っては別枠を設け、1日1000人程度を優先的に受け入れるとしたのです。

その当時、在留資格を得ながら日本に入国できていない留学生は約15万人。日本政府は、彼らをできるだけ多く、早く、受け入れることにしたという。冒頭の言葉は、その政策を発表した首相の記者会見でのものです。

「我が国の宝とも言える留学生が、国民の安心を保ちつつ円滑に入国できるよう――」

こうした首相の言葉にネットもザワつきました。

「留学生の入国を認めることは、諸外国との友好関係を構築し、我が国の教育・研究力の向上などに極めて重要であると認識をしている」

岸田首相の発言を受け、松野博一官房長官はこんなふうに述べていますが、うーん、どうでしょう? 実は、留学生を優先的に受け入れるべく岸田政権を動かしたのは、学校業界だというウワサがあるんです。留学生の受け入れでおいしい思いをするのは、この業界ですからね。

留学生30万人で潤う学校業界

「我が国の宝とも言える留学生」発言から5か月後の2022年8月、岸田首相は、それまでの外国人留学生の受け入れを見直し、さらに増やす計画を策定するよう文部科学大臣に指示したことが明らかになりました。

日本には「留学生30万人計画」という施策があります。グローバル戦略の一環として2008年7月、文部科学省によって策定された計画で、当初は、2020年までに日本国内の外国人留学生を年間30万人に増やすというものでした。

第2次安倍政権は、この「留学生30万人計画」を成長戦略に掲げ、ベトナムをはじめとするアジア新興国からの留学生を多く受け入れました。その甲斐あって、2012年から2019年までの8年間で、日本にやって来る留学生の数は16万人から31万人と倍近くになっています（独立行政法人日本学生支援機構「外国人留学生在籍状況調査」より）。

31万人――那覇市の人口と同じくらいの数です。留学生というからには、これだけの数の人たちが、日本語学校とか大学とか、日本全国に点在する何かしらの学校に通うことになるわけですよね。たとえば日本語学校の平均的な学費は年60万円から90万円とされています。留学生が落としてくれるお金は、学費だけでもものすごい額！　そんな〝打ち出の小槌〟のような留学生がコロナの影響で激減しました。2019年には31万人だったところ、2020年には約28万人、2021年には約24万人――そんなとき、首相は「30万人計画」を見直して、さらに留学生を増やすよう指示したのです。留学生の激減が死活問題となっている学校業界の働きかけによるものではないかとの指摘も、さもありなん。自民党は、ホームページで受け入れの部分だけが注目されて報道されたことに触れ、「岸田首相は外国人留学生の受け入れ・日本人留学生の送り出し双方について、新たな計画を策定するように指示しています」と綴っていますが。

「どうでもいい」大学に入国資格のない留学生がやって来る

コロナ禍以前から、学校数が増えすぎて学生獲得の競争に敗れた学校の存在が取り沙汰されていました。留学生を増やすという政府の計画は、経営難に苦しむ学校救済措置ではないか、と、ずっと前から指摘されていたのです。

だいたい日本は大学の数が多すぎます。少子化が進んでいるというのに、大学の数は、この50年間で約2倍に増えているという。しかも、言い方はよろしくありませんが、授業料さえ払えば誰でも入れるような「どうでもいい」大学が、次々と開校されています(※)。

ここまで大学が増えたのは、官僚や政治家の天下り先を確保するためだと囁かれています。

当然ながら、器だけ作っても、学生が入ってこないことには大学として機能しない。しかし、少子化で日本人の学生だけでは足りない。そこで目をつけられたのが、留学生というわけです。

留学生をどんどん迎え入れれば、授業料という直接的な収入も期待できます。

さらに、たとえば国立大学の場合、私費留学生の人数を増やせば、その数に応じて国からの運営費交付金を受け取ることができるのです。私立の大学なら、私費留学生を対象として授業料の全部または一部を免除する場合、その一部を国が援助するという制度もあります。

大学側には、授業料以外のところでも、留学生を増やすメリットがあるということ。

国からの補助金を運営費の一部に充てて経営難を乗り切ろうとする大学があってもおかしくありません。

※2023年3月、文部科学省は2025年度から、私大新設の審査基準を厳格化する方針を決定した

こうした大学には、本来なら入国資格のない留学生が一定数存在すると言われています。日本が留学ビザを発行する要件のひとつに、日本に在留する間の費用（学費・住居費・食費・交通費など）が賄える十分な資産があることがあげられます。留学希望者は、本人または保護者の年収や預金残高を証明する書類を日本の地方出入国在留管理局に提出するなどして、その経済力を示さなければならない。しかし、ベトナムなど新興国の庶民にとって、日本が定めた基準を超えるのは、至難の業。そこで登場するのが仲介の斡旋業者です。彼らは〝ズル〟を駆使して、〝うまいこと〟やってくれるのだといいます。

日本の入管当局も学校も、これに気づいているのに見て見ぬふり。問題にすれば、留学生を増やすことはできないわけですから当然ですね。その結果、大して優秀でもない、質の悪い留学生が日本に大挙してやってくる状況が生まれています。

日本人学生より留学生のほうが優遇される日本のあり得ない現実

留学生の学費は高くて当たり前

「日本人の学生は、給付型奨学金（返済の必要がない奨学金）の支給額が月額で2～4万円。それが、外国人の研究職の国費留学生の場合では月額14万円強。大臣、切ないと思いませんか」

２０１９年4月、小野田紀美参議院議員は、２０１７年度予算をめぐる参院決算委員会で、このような質問をしました。

「国費の外国人留学制度は、戦略的に優秀な外国人留学生を採用している設計制度です。ご理解をいただきたい」

柴山昌彦文部科学大臣（当時）はこう答弁しましたが、小野田議員は納得せず、さらに次のように訴えました。

「ならば、〝日本人の学生のほうが恵まれていない〟という反応が出てこない制度に、仕組みを変えて欲しい」

私もまったく同感でした。

私自身、もう随分と前から訴え続けているのですが、日本は、自国の学生よりも留学生を大事にしているように思えてしかたがない。そんなことがあっていいのでしょうか⁉

自国の学生を第一に考え、不公平なく教育を受けられる環境を整えることが最優先ではないですか？　政府のやっていることは、順番が間違っています。

たとえば、アメリカには州立大学がたくさんありますが、学費は学生の出身地によって変わります。州の出身者は安い学費で済みますが、州外の出身だと高くなるんですね。

私はアメリカのフロリダ州立大学に留学していたのですが、州立大学の学費は安いとはいえ、留学生の私は、州外出身者ですから一番高い学費を払っていたことになります。でも、これが当たり前。留学生の学費は自国の学生のほぼ3〜4倍が、世界基準ではないかと思います。

ところが日本では、国立大学の場合、国費留学生の授業料は無料です。私費留学生には授業料減免制度を設けている大学もあります。私立大学でも、授業料の免除や減額、補助制度を整えたりしていて、既述したように、その一部は国が援助しています。

奨学金もまた、外国人留学生のほうが優遇されています。

小野田議員が指摘したように、(選考試験にパスすれば)国費の研究留学生には、月額で14万円強、学部留学生でも月額12万円弱の奨学金が、それぞれ支給されます。さらに、生活費の支援や、留学生会館など無料の居住スペースも与えられます。至れり尽くせりですね。

また、私費留学生に対しても、返済不要の学習奨励費が支給されるのです。

奨学金破産する日本の若者たち

現在、日本の大学生の二人に一人が奨学金制度を利用しているといいます。奨学金には、給付型と貸与型があり、前者は返済の義務がありませんが、後者は卒業後に返済義務が生じます。

中には利子がつくものまであり、返済義務を怠れば滞納金が加算されたり、ブラックリストに入れられたりして、情報が個人信用情報機関に提供されることもあるそうです。

奨学金とは名ばかりの「学生ローン」ではないですか！

日本の大学生の約半数が「奨学金」という名の借金を背負い、卒業後に返せなくなって自己破産する「奨学金破産」が社会問題化してもいます。奨学金を返すために風俗で働いている人もいると聞きますし、そうでなくても、社会人になってからの数年間は、奨学金を返すために節約しながら一生懸命働いて、結婚どころじゃない。

そんな人が増えて、日本はどんどん晩婚化して、少子化も進む――。ぜーんぶつながっているんです。日本の政治家はわかっているのでしょうか。

日本人の若者に負担をかけて、厳しい思いをさせて、そのくせ、外国人は優遇する。意味がわかりません。この国は、どこか間違っていませんか。

日本における外国人の国費留学制度は、「日本と諸外国との国際交流を図り、相互の友好親善を促進するとともに、諸外国の人材養成に資する」ことを目的として、１９５４年にスタートしました。

「諸外国」と言っても、今、日本で学ぶ留学生の多くはアジア諸国出身で、中国と韓国だけで全体の50％以上を占めています。日本は、これらの国からの留学生に膨大な税金を注いできました。しかし、中国や韓国などの反日姿勢は相変わらずで、国費留学制度が友好親善に貢献しているとはとても思えません（※）。

それでもまだ、日本の政府は、今の制度を見直さないのでしょうか。

日本の宝は、日本の学生や子どもたちです。

自国の若者を大事にしない国は、いずれ間違いなく衰退します。

私は、日本にはそうなって欲しくないんです。

外国人留学生に膨大な血税を使うくらいなら、日本の若者のために使え！

お金がなくて大学進学を諦めた子がいます。子どもを大学に通わせるために、いくつもの仕事を掛け持ちしている親御さんがいます。学生時代に背負った奨学金という名のローンを返済できずに苦しんでいる若者もいます。

「外国人留学生は我が国の宝」だなんて、そういう人たちが聞いたら、「アホか！」と思って、はらわたが煮え繰り返るでしょうよ。

留学生とは名ばかりの単純労働者の受け入れで日本の大学があやうくなっている

出稼ぎ目的の偽装留学生

今、日本では、たくさんの外国人が働いています。その多くは、「留学生」としてアジアの新興国からやって来た人たち。最近では、コンビニの店員さんなどは、ほとんどがアジア系の若者だったりしますよね。

もちろん、留学生の中には、学ぶことを目的として来日し、一生懸命勉学に励む若者もいます。けれども、留学生として来日しながら、勉強はそっちのけでアルバイトに精を出す者も少なくないらしい。「留学」は偽装で、本来の目的は「出稼ぎ」の若者が多いとか。

そういう人たちにとって、日本は都合のいい、おいしい国なのでしょう。

欧米などでは、出稼ぎ目的での入国を防ぐため、アルバイトを含めた留学生の労働は制限されます。入学の条件も厳しく、学力や語学力の高いハードルをクリアしなければ入学は認められません。奨学金制度は存在しますが、これもまた、かなり厳しい審査をパスした少数の優秀な学生にしか給付されないことになっています。

かたや日本は、お金さえ払えば入学できる学校も多く、留学生の支援制度も数々あるし、週28時間という制限はあるものの働いてお金を稼ぐこともできる。こうしたメリットがあるから、

※出身国別留学生数の上位は以下の通り。1位中国47・1％、2位ベトナム20・4％、3位ネパール7・8％、4位韓国5・9％、5位インドネシア2・4％（日本学生支援機構・2021年）

アジアの新興国の若者は日本に来たがるのではないですか。

留学生の中には、国や大学から支給される奨学金や生活費を貯蓄し、そのお金を欧米への留学資金に充てる者もいると聞きます。日本は踏み台にされているわけですよ。ここまでくると、何のために留学生を受け入れているのか、ますますわからなくなってきます。

ついでに言うと、中国人留学生は日本でアルバイトをしても、所得税が免税になります。1983年に締結された日中租税協定（※）第21条で定められていることです。同じ場所で同じ時給で同じ時間だけ働いても、所得税が免除になる分、日本人の学生より中国人の留学生のほうが手にするお金が多いということ。こんなところでも、留学生は、日本の学生よりも優遇されているのです。

この免税措置は、中国に滞在する日本人留学生にも適用されます。しかし、中国でアルバイトを希望する日本人留学生はそう多くはありませんし、日本人留学生が中国で就労許可を受けるハードルも高いため、現実問題としてアンバランスが生じていると指摘されていました。そして、やっと政府は重い腰を上げました。2022年6月、日本でアルバイトをする中国人留学生に適用されている給与の免税措置の撤廃に向け、日中租税協定の改正の検討がスタートしたと報じられています。

税制で留学生が優遇されているといえば、消費税の免税もそうでした。

基本的に消費税の免税は、空港の免税店がわかりやすい例で、商品を国外に持ち出す場合に適用されます。もちろん街中での買い物にしても、短期滞在の外国人観光客などは免税販売の対象になりますが、少し前まで、留学生などの長期滞在者（アルバイトなど日本国内で就労している者は除く）でも、入国から半年間に限って免税購入が認められていたんですね。

対象者かどうかを確認（就労の有無など）するのが煩雑だということで、販売店などからは改善を求める声があがっていました。それに加えて、留学生の〝悪事〟が次々と明らかに。消費税免税の制度を利用して大量の買い物をし、消費税込みの値段で転売、利ざやを稼いでいると見られる事例が相次いだのです。複数の中国人留学生が1日の免税上限額50万円ギリギリの買い物を繰り返していたこともメディアで報じられました。

ということで、2021年から税制改正が議論され、やっと実現。2023年4月1日から、消費税免税販売の対象から留学生が除外されることになりました。免税対象者であるかどうかの確認作業など事業者の負担を軽くするのが大きな目的ですが、留学生たちの〝悪事〟防止効果も期待されています。2023年3月28日付「日本華僑報網」は、一部の中国人留学生らの違法行為が他の留学生に迷惑をかけることになったとして、このことを報道しました。

※二重課税の回避や、課税の免除や税率の引き下げによる経済活動、人的交流の活性化などを目的として、2国間で締結した課税上のルール

留学生は単純労働の担い手?

さて、これまで留学生の優遇措置について、物申してきましたが、私は決して留学生を責めたいわけではないのです。「日本に行けば、そんなに得するの⁉」と思えば、そりゃあ、みんなやって来ます。アルバイトもするでしょう。

問題なのは、留学生にそう思わせてしまう制度を、日本政府がつくってしまっていること。私が怒っているのは、留学生に対してではなく、日本の政府に対してなんです。

政府が、ここまでして留学生を増やしたいのは、ひとつには経営難の大学を救済する目的もあるでしょうが、根っこの部分にあるのは、単純労働の担い手を増やすという目的です。経済力のない外国人に留学ビザを乱発してきたのも、彼らを低賃金の労働者として利用するのが目的だと私は見ています。

結局、政府は、学校業界のみならず、産業界ともズブズブの関係なんじゃないですか。労働力を確保したいなら「偽装留学」なんかさせないで、正々堂々と働き手を迎え入れる制度を整えればいい。そのために留学生が減って経営が成り立たない大学が出てきても、致し方がありません。

留学生は、本当に日本で勉強したいと願う優秀な若者だけを受け入れればいいんです。経済的に苦しいのであれば、頑張ってスカラシップ(奨学金もしくは奨学金を受ける資格のこと)をもらってください。とはいえ、アジアの学生でも、優秀な子たちは欧米に行ってしまうという現実がありますけど。

日本の大学は年々質が落ちていて、海外から見ると、決して魅力的とは言えないレベルになりました。その証拠に、イギリスの高等教育専門誌「Times Higher Education（THE）」が発表した2023年の「THE世界大学ランキング」では、日本の大学の中で最高位にランクインした東京大学でさえ39位で、前年から4ランクもダウンしています（※）。

本来なら東大はもっと上にあげられるべき大学です。それが39位だなんて……。

全体的に日本は今、優秀な学生たちが勉強できない環境にある。これはもう非常に良くないこと。私にとっては、頭から湯気が出る懸案事項です。

日本政府は、おかしなことをやっていないで、不要な大学はどんどん潰して、少数精鋭で、残った大学を魅力的にすべく力を注いでください。学校業界や産業界の懐を潤すためだけの外国人留学生は要りません。

※研究の影響力や国際性などを基準にした、104か国・地域の1799校のランキング。第1位はイギリス・オックスフォード大学

「外国人技能実習制度」は奴隷の発想そのもの 国際的にも問題視されている

技能実習生は出稼ぎ労働者

新型コロナウイルスの水際対策として、日本が、一時期、外国人の新規入国を止めていたのは、よく知られていることです。日本がグローバル化から取り残されるとして「鎖国反対」の声が方々からあがっていましたよね。こうした世論も後押ししたのでしょう。2020年10月から政府は、コロナ禍で最初の、全世界を対象にした入国制限緩和を行いました。

出入国在留管理庁の「国際的な人の往来再開に向けた段階的措置等による入国者数」によると、この緩和を受けて2020年11月1日から2021年1月21日までに日本に入国した外国人は約12万8600人でした。そのうち「技能実習」目的で入国したのは約5万6000人、「留学」目的は約3万9000人で、両者を合わせると、入国外国人の7割を占めています。

この数字を見ると、何のために入国制限を緩和したのか、わかると思いませんか。

外国人留学生の多くが、出稼ぎを目的とした偽装留学生であるらしいことはすでに触れました。一方、「技能実習」目的というのは、早い話、労働目的のこと。技能実習目的で来日する外国人を「技能実習生」と呼びますが、偽装留学生とともに、この技能実習生の入国がストップすれば、働き手が不足するわけですから産業界にとっては大打撃です。

政府は、これら出稼ぎ組の外国人を、とにかく早く入国させたかったということでしょう。その後も水際対策は段階的に緩和されていき、外国人の技能実習生や留学生の来日は、本格化していきました。

既述した通り、2022年3月の水際対策緩和の際には、留学生は別枠を設けて優先的に受け入れることが決定されています。要するに、政府としては、窮地に陥っている学校業界からの働きかけに応えると同時に、「労働力の確保」もその狙いだったのでしょう。

「それならば、はっきりとそう言えばいいのに」と思いますが、政府には、そう言えない理由があったのです。

もともと技能実習生の受け入れ制度そのものに批判がありました（これに関しては、私も同感です）。

コロナ禍の収束が見えず水際対策緩和に不安を抱く声も少なくない中で、その制度でやって来る外国人を優先的に受け入れたりすれば、どんな世論が噴出するか、わかったものではありません。その点、留学生なら反発も少ないはず、と政府は読んだのではないでしょうか。「日本への留学を心待ちにしている留学生がたくさんいます。彼らを優先的に入国させますよ」と言えば、留学生の実態を知らない国民は、好意的に受け止めるのではないか、という目論見だったのでしょう。

私にしてみれば、留学生も技能実習生も似たようなものなのですが。

外国人技能実習制度の深い闇

技能実習生は、国が定めた「外国人技能実習制度」に基づいて日本にやって来ます。

この制度、わかりやすく言うと、「開発途上国の外国人が、日本の技術を学びながら日本で働き、帰国後は、母国の発展に役立つ人材になることを目的とする」ものですが、これは建前であって、実情は違います。私に言わせれば、外国人技能実習制度という名のもとに入国してくる技能実習生は、低賃金の単純労働を担う出稼ぎ労働者です。

日本は、そうした人たちを必要としています。なぜなら、彼らが引き受けてくれる仕事は日本人がやりたがらないから。理由は、待遇が悪いからにほかなりません。

でも、誰かがやらなきゃいけない。じゃあ、安い賃金でも引き受けてくれる発展途上国出身の外国人にやらせちゃえ、というのが、今の外国人技能実習制度です。

これは奴隷の発想そのものではないですか。

「技能実習生」などという言葉で誤魔化していますが、現場ではただの労働搾取の扱いをされることも多いのです。外国人技能実習生の待遇やトラブルはたびたび問題になっており、日本政府は待遇を改善するよう、国連の人種差別撤廃委員会から勧告されているほどです。

アメリカ国務省が毎年まとめる各国の人身売買報告書では、日本の外国人技能実習制度における強制労働の常態化や劣悪な生活・労働環境が懸念されると繰り返し指摘されています。

日本政府としても、さすがに「ヤバイ」と思っていたのでしょうか。2023年4月10日、同制度のあり方を検討する政府の有識者会議は、制度の廃止を求める提言の試案をまとめ、代わりに「人材確保」と「人材育成」を目的とする新しい制度の創設を訴えました。〝看板〟の掛け替えで終わってしまっては意味がありません。中身をしっかり検討して欲しいものです。

日本の恥！　利権にまみれた外国人技能実習制度の餌食になる外国人の悲劇

役に立たない技能、低い処遇、過酷な労働環境

外国人技能実習制度は、国際貢献の一環として1993年に創設されました。法律では、「（技能実習は）労働力の需給の調整の手段として行われてはならない」と定められていますが、

実際には、人手不足への対応として多くの企業が利用してきたようです。

従業員の高齢化や低賃金などの待遇の悪さなどから、特に地方の製造業や農業、漁業などでは人手不足が深刻で、こうした現場では多くの技能実習生が働いてきました。

受け入れ側は、人手不足が解消できること以外にもメリットがあります。地方自治体はさまざまな形で外国人雇用をサポートしており、たとえば、技能実習生を採用した企業などには助成金を支給します。日本人がやりたがらない仕事を外国人にやらせるために、こうした制度が設けられているのでしょう。

この助成金が実習生の待遇に反映されればいいのですが、彼らの多くは、安い賃金でひたすら単純労働をさせられます。もちろん、中には、彼らを手厚くもてなし、きちんと技能が身につくよう丁寧に指導している企業もあるでしょう。しかし、たびたびいろいろなところから指摘されているように、低い処遇、過酷な労働環境の中で働かされる技能実習生は少なくないのです。

実習生の多くは、出身国の斡旋業者などに手数料や保証金を支払うため、借金を背負って来日することになります。そのうえ、もともと低賃金であるにもかかわらず、日本側の仲介業者（人材派遣会社）などに中抜きされるため、手にする額は雀の涙。彼らの生活は非常に苦しいのが実情です。

「技能実習生」などと呼ばれているものだから、彼らの中には、「何か特別な技能が身につけられる」と勘違いして入国する人もいるでしょう。ところが、いざ来てみたら、低賃金で単純労働をさせられて、ひどい扱いをされて、最後は、「日本なんて二度と来たくない！」と嫌な思いをして帰国することになってしまう。在留期間を終えて帰国するならまだマシなほうで、職場のあまりの過酷さに、日本国内で失踪して不法滞在の身分となり、不法就労するケースも多々あるようです。

牧場からヤギを盗んで解体して食べてしまうなど、昨今、外国人労働者による驚くような犯罪がニュースになることも珍しくなくなりました。その背景には、外国人技能実習制度というブラックな制度があることを、忘れてはならないと思います。

外国人技能実習制度は日本の恥

はっきり言わせてもらいます。外国人技能実習制度は日本の恥です。

しかし、それだけにとどまらず、日本政府は、恥の上塗りをやってくれました。

２０１８年12月８日、外国人労働者の受け入れを拡大する改正出入国管理法（改正入管法）を成立させたのです。新たに「特定技能」をつくり、人材不足が深刻な介護、外食、農業など14業種で、従来認めてこなかった事実上の単純労働に門戸を開く形となりました（単純労働は、とっくに技能実習生が担っていたのだけれど）。

さして議論がされないまま、与党による強行採決で成立した改正法では、２０１９年４月の制度開始から5年間で34万人の受け入れを見込むというもの。外国人労働者を増やすということは、彼らに群がる者たちの懐が潤うことでもあります。産業界、経済界、ことに彼らの賃金から中抜きをする人材派遣会社にとってはおいしい、いい話ですけれどね。

新型コロナウイルスの感染拡大に伴う入国制限の影響でしょう。出入国在留管理庁のデータによると、制度を始めた2019年度、新たに来日した特定技能人材は想定の1割以下の4000人弱。その後、徐々に増加し、2022年6月末時点で、約8万7472人。外国人技能実習制度の人材を含めると、外国人労働者は41万5161人。

利権によってどれだけの甘い汁が吸えるのでしょう⁉

低賃金で働いてくれる外国人労働者を増やすより前に日本人労働者の待遇改善を！

政府は耳触りのいい言葉で誤魔化している

日本政府は、外国人技能実習生を雇った企業に助成金を出す余裕があるなら、日本人の労働者を採用するために待遇を底上げするシステムを必死で考えるべきです。

日本では「賃金が上がらない」ことが、長い間、問題視されていますが、このことと技能実習生の問題はリンクしているのです。

本当なら、日本人でも「やろう」と思えるように労働環境を整え、待遇を見直すのが先。まず賃金を上げる。賃金を上げると物価も上昇します。いわゆるインフレが起きて、国民は怒りますが、全体を良くしていくためには、ある程度のインフレは仕方がないことです。

製造業などは特にわかりやすいですが、賃金を上げようと思えば、その分、モノの値段に反映せざるを得ない。安いモノをいくら売っても売り上げは知れていますから、給料はなかなか上がりません。コロナや、ロシアのウクライナへの侵攻、円安の影響で、ここのところ物価が上昇していますが、それにしても、今まで日本はデフレでモノの値段が安すぎました。賃金を上げてモノの値段を正常なところにまで戻していく必要があります。日本は商品にしてもサービスにしても、いちいちクオリティが高い。そのクオリティに見合う価格にしていくべきです。

賃金を上げて待遇を良くすれば、多少きつい仕事でも、やり手はいる。逆に、誰もやり手がいなければ、確保するために賃金を上げざるを得ないのです。そうでなければ社会が回っていかないから。ところが、現実は、相変わらず賃金は安いまま。それで社会が回っているのは、日本人が「やーらない」と避ける仕事を、外国から来た人たちが安い賃金で引き受けてくれるからなんですね。

要するに、「外国から労働者をたくさん受け入れて、安い賃金で働かせているから、日本人の賃金も据え置き」ということです。こう言うと、「えっ、外国人労働者ってどこにいるの？」という反応が返ってくることがあります。

だから、外国人技能実習生が労働者なんですってば！

この国は、政府がいろいろなことをうやむやにして、国民が誤魔化されている感じがします。技能実習生などと耳触りのいい言葉を使わないで「労働者」と呼ぶ。そして、その労働者を受け入れるのなら、彼らをどう扱うか、きちんとガイドラインを決める。それが、国がやるべきことではないですか。

愚策「子ども手当」

かつて日本には、「子ども手当」というものがありました。15歳以下の子どもを扶養する保護者に給付金（子ども1人当たり月1万3000円、のちに子どもの年齢や出生順位によって月1万〜1万5000円に変更）を支給する制度で、民主党政権下の鳩山由紀夫内閣によって2010年4月から施行（支給は同年6月より）されました。

この制度の前に、日本では30年間「児童手当」がありました。これ、「海外在住の子どもがいる在日外国人」も支給対象だったのですが、「子ども手当」も、その支給要件を踏襲していたんです。そのため、法案可決前から「不正受給を招くのではないか」と、当時野党だった自民党が批判していたのに、強行採決されてしまったんですね。

最初から、かなり問題がある制度だったということです。

給付金は、日本人だけでなく、日本に居住する外国人にも平等に支給される。親も子どもも日本で暮らす外国人に支給するならまだ理解できます。しかし、たとえば単身で出稼ぎに来ている外国人がいたとして、その人が母国に子どもを残しているとしたら、その子どもたちの分まで、人数分を支給すると政府は明言していました。

これだけ聞いても「えーっ?」ですよね。3人いれば3万9000円、10人いれば13万円……そんな大金を、日本に住んでいない、遠い外国にいる人たちにも支給するというのです。1万3000円は、国によっては、とんでもない価値です。私の祖国エジプトでは、大学教授の給料より高いくらい。当時、あちらでは、月8000円もあれば質素ながらも生活できました。

とにかくこれ、おかしな制度で、案の定、長くは続きませんでした。

日本に住む韓国人男性が、妻の母国であるタイに養子縁組をした子どもが554人いるとして、全員分の支給を申請したことで話題になりました。結局、その申請は受理されませんでしたが、子ども手当の受給資格を満たしていない外国人による不正受給が判明するなどし、2011年度からは、海外に住む子どもへの支給は認められなくなりました。

しかし、受給資格のない外国人の子どもを日本人が偽装認知をし、子どもに日本国籍を取得させてから子ども手当を受け取るといった不正受給が相次ぐなどし、結局、「子ども手当」の制度はなくなり、現行の「児童手当」になったという、なんともお粗末な経緯です。

日本人にばら撒くならまだしも、外国人にばら撒くのはいかがなものか。どういう結果になるか、ちょっと考えればわかりそうなものなのに。

母国に子どもを残している外国人には支給されて、その逆は不可というのも、変な制度でした。日本人の親は海外にいて、子どもは、日本の祖父母のもとで暮らしているといったケースでは、子ども手当は支給されなかったのです。

「子ども手当」、本当に愚策でしたね。

増えるベトナム人労働者

話が逸れてしまいました。元に戻しましょう。そう、外国人労働者の話。

厚生労働省のデータ「『外国人雇用状況』の届出状況まとめ」によると、日本で働く外国人労働者は、2022年10月末時点で約182・3万人。

以前は中国人が多かったのですが、現在はベトナム人が最多で、約46・2万人（全体の25・4%）にのぼっています。ちなみに、第2位は中国人の38・6万人、第3位はフィリピン人の20・6万人でした。

その背景には、中国国内の経済発展などの理由から来日する中国人労働者の減少を予期し、日本が、技能実習生として積極的にベトナム人を受け入れてきたことがあります。「日本の外国人労働市場は条件などの面から、最もベトナム人が働きやすいと思う国のひとつだ」

本当？　と思いますが、2022年9月、日本を訪問したベトナムのダオ・ゴック・ズン労働・傷病兵・社会問題相は、加藤勝信厚生労働相と会談した際にそう言いました。

さらに、ズン氏は、技能実習生や特定技能資格で日本に滞在するベトナム人労働者の受け入れ対象職種の拡大を要請。現在は認められていないレストランの外食サービスやホテルサービス、バスの運転手などにも受け入れ対象職種を広げるように、そして、ハイテクや専門職などの分野の高度人材についても、さらなる受け入れ枠の拡大を検討するように、求めました。

また、日本はすでにいくつかの国に対して実績があるとして、ベトナム人技能実習生に対する住民税や個人所得税の免除の措置を導入するよう働きかけました。

加藤氏は、関係閣僚や省庁と協議して検討する旨を伝えたようですが、くれぐれも慎重にことを運んでいただきたいと思います。

受け入れ対象職種の拡大にしてもそうですが、ひとつの国を認めたら、それこそアンフェアだらけになって、「うちも、うちも」とみんなが言い出して、収拾がつかなくなりませんか。

外国人の私が言うのは余計なお世話でしょうが、そうならないことを祈ります。

国策として外国人を受け入れるなら〝受け皿〟の拡充は急務

使い捨てされる外国人労働者

幼少期に来日してから大学を卒業するまで、私はずっと愛知県に住んでいました。愛知県と言えば、巨大な車のメーカーがあり、一時期ブラジルから日系の労働者を大量に受け入れていました。住民が日系ブラジル人だけ、なんていう団地もありました。

ところが、バブルが弾けて景気が悪くなり、一時期のような労働力は必要なくなりました。そこで、「あなたたちはもう必要ないから、帰っていいですよ」と。これ、早い話、使い捨てです。

「帰っていいですよ」と言われても、生活の基盤が日本にできてしまって、母国には帰る場所がない人もいるでしょう。そういう人たちはどうなってしまうのですか。彼らには日本で生まれた子どももいるでしょうし、幼いときに連れて来られて日本で育った子どももいるでしょう。

その子たちがどうなったと思います？　日本語が得意じゃない子がほとんどで、学校の勉強についていけません。結局、ドロップアウト。学校にも行かずにフラフラしている子どもたちが増えて、彼らが住む団地周辺の治安は一気に悪くなってしまいました。

外国人労働者は機械ではなく、一人の人間です。きちんと受け皿を整えておけば、こんなことにはならなかったのではないでしょうか。

外国人受け入れの体制整備は急務

愛知県でのブラジル人労働者の一件は、当時、かなり問題になりましたが、今だって似たり寄ったりのことが生じていると思います。

たびたびベトナム人労働者の犯罪が報道される昨今ですが、彼らが犯罪を起こす背景には受け入れ側の無理解や待遇の悪さがあるわけです。もちろん、同じような扱いを受けていても、全員が犯罪を起こすわけではありません。にもかかわらず、ベトナム人労働者というだけで白い目を向ける人もいたりして、これもまた問題です。

欧米などでも、労働力として移民をたくさん受け入れた結果、移民のコミュニティは孤立して、その国の人たちから差別を受けるなどの問題が生じています。それは、受け皿がきちんとできていないからだと思うのですが、日本なんて、もっと、ですよね。労働力になるというだけで大量に受け入れようとする浅はかさ。その延長線上にある問題や課題について、思考が及んでいないのです。

「多様性がどうの、こうの」と最近やたら「多様性」という言葉を使うけれども、本当に多様性というものを理解していますか？　って話です。

2023年3月にも、こんな報道がありました。アメリカ人の父と日本人の母を持つ兵庫県の男子高校生が、自らの卒業式に、癖っ毛でも整って見えるよう髪を編み込んで出席しようとしました。彼のお父さんは黒人、そして、そのヘアスタイルは、アフリカにルーツを持つ黒人文化の伝統だということなんですね。ところが、学校側は、そのヘアスタイルを「校則違反」として、彼が卒業生用の席に着くことを認めず、他の生徒がいない場所に隔離したというのです。

多様性が聞いて呆れます。教育現場でさえ、これですよ。社会全体ではどうなのでしょうか。労働者として日本にやってくる人たちは、日本人とは宗教も違えば、習慣も大きく違います。日本には「郷に入っては郷に従え」という言葉があります。確かに、彼らが自主的に来日するのであれば、それもアリでしょうが、技能実習生や特定技能資格者の場合は違います。日本が国策として迎え入れている以上、「お前らが合わせせろ」は通用しません。

特に、イスラム教徒はそう簡単ではありません。介護の分野ではインドネシアやマレーシアの人が積極的に採用されていますが、彼らの多くはイスラム教徒です。宗教上、口にできない食材もありますし、1日5回の礼拝の義務もありますし、ラマダン（断食月）もあります。

このようなことを理解して受け入れ体制を整えておかなければ、彼らは環境に限界を感じて、すぐにでも帰国しちゃいますよ。日本としては、せっかく育てた労働力を失うことになってしまうのです。

２０１８年に成立した改正出入国管理法によって、外国人労働者受け入れの業種枠が広がりました。単純労働だけでなく、日本は海外から高度な職種での労働者も受け入れようとしています。ベトナムのズン氏も、ハイテクや専門職などの分野の高度人材についても、さらなる受け入れ枠の拡大を要請しました。

しかし、世界全体で見ると、ただでさえ優秀な人材の奪い合い。そんな中で、高度人材が、受け入れ体制が整っていない日本にわざわざ来てくれるのか、といった疑問も残ります。

さらに、医療費や生活保護の不正受給の問題もあります。今でさえ、それらを不正受給している外国人がいるのに、ゆるい改正出入国管理法や社会保障制度のもとで大量に外国人を受け入れると、もっと不正受給が増えて、ますます日本の財政を圧迫するのではないかと心配です。

このように、外国人労働者を大量に受け入れることに対して、私はいろいろな危惧を抱いています。ただ、だからと言って私は、受け入れに反対なわけではありません。今後、ますます少子高齢化が進む日本では、受け入れは必要不可欠。準備がちゃんとできていない状況下での受け入れは、時期尚早と言いたいだけなのです。

外国人労働者の受け入れ拡大には慎重になり、議論を尽くすべきでしょう。そして、その間に、きちんと受け入れ体制を整え、法整備もして、また、人々の外国人に対する理解を深め、意識を変えていく。これ、とても大事なことだと思います。こうした準備をおざなりにして受け入れると、トラブルも起きやすいし、日本人と外国人の間の溝も深くなってしまうのです。後々、いろいろな問題が生じてしまいます。

安易な外国人労働者の受け入れで得するのは、甘い汁を吸って私腹を肥やす輩だけでは？

第４章（難民受け入れと出入国在留管理庁）

難民は拒否して
移民はオッケー?
実質的な〝移民解禁〟で
どうなるニッポン?

移民政策を取っていないはずの日本はすでに〝移民大国〟？

アメリカでは移民問題をバスでお届け

２０２２年初夏から秋にかけて、連邦上下両院選や州知事選などが一斉に実施される中間選挙を11月に控えたアメリカから、ちょっと笑えるニュースが飛び込んでくるようになりました。

たとえば、８月下旬のとある日、夜明け前のまだ薄暗い時間に、首都ワシントンD.C.の玄関口「ユニオン・ステーション」の駅前通りに3台の大型バスが停まり、中南米からの移民約１４０人が続々と降りてきたといいます（２０２２年9月4日付「毎日新聞デジタル」）。

実はこれ、移民に寛大な姿勢を見せる民主党のバイデン政権に反発した、共和党のテキサス州知事が4月中旬から始めていた、移民を首都に移送する〝バス作戦〟の一環。

「バイデン大統領は不法移民が流入するテキサスの危機をわかっていない。〝国境問題〟をお届けする」

知事は、そう公言してバスをチャーター。バス代は無料、食事はフリーズドライの軍用非常食が提供されるだけですが、移民は自力での長距離移動を回避できるため、喜んで乗車するのだとか。テキサス州知事は、ハリス副大統領の公邸近くにもバスで移民を送っています。

さらに、民主党の市長が治めるシカゴ、ニューヨークなどの都市に対しても、移民法をしっかり執行していないと非難。テキサス州知事と同じく、やはり共和党のアリゾナ州知事も同様の移送を行っていて、両州合わせて数千人の移民を、それらの都市に送り込んだそう。フロリダ州知事も、富裕層のリゾート、マサチューセッツ州マーサズ・ヴィンヤード島に移民を送り込んでいます。

不法移民対策の強化を図るため、共和党のトランプ前大統領が、メキシコとの国境に壁を築いたのは、よく知られていることです。一方、民主党のバイデン現大統領は、移民に寛大な姿勢を見せました。ということで、共和党の知事たちは、「お前らが難民を受け入れるって言ったんだろ」とばかりに、民主党の首長が治める自治体に移民を送り込んだんですね。

要するに、この〝バス作戦〟はバイデン政権への嫌がらせ。やることがアメリカらしくて笑ってしまうけれど、嫌がらせをせざるを得ないほど移民問題は深刻ということでもあります。

日本でも事実上の移民解禁

日本のみなさん、「我が国とは無縁」と笑ってばかりはいられませんよ。

確かに日本は、移民政策を正面から掲げてはいません。ですが、外国人労働者をたくさん受け入れているではないですか。

　第3章で触れたように、２０１９年、外国人労働者の受け入れに関する改正出入国管理法が施行されました。受け入れの業種を拡大するとか、そんな内容以外に、既存の技能実習生も最長5年の在留期間のあと、特別な技能を持っているとみなされた者は、延長して合計8年から10年の在留ができ、さらにその後、永住許可を取得することも可能になる、といったことも決められました。

　労働力を確保する目的以外に、外国人に永住してもらうことで、日本の少子化問題までも解決しようということなのでしょうが、この改正法を「事実上の〝移民法〟」と指摘する専門家もいます。そうであるならば、〝移民解禁〟ということではないですか。

　政府はそれを頑なに否定しました。しかし、この政策転換とも言える法案を押し通して可決させたことは紛れもない事実です。

　日本としては、かつても今も、あくまで「移民の受け入れは行わず、外国人労働者を受け入れているだけ」というスタンスを貫いています。この立ち位置から見ると、日本に移民はほとんどいないということになるのですが、一方で、「すでに日本は移民大国」という意見も少なくないのです。

　出入国在留管理庁によれば、２０２２年末時点で、日本には約３０８万人の外国人が暮らしています。そのうち、技能実習生などの外国人労働者は、厚労省によると、２０２２年10月時点で約182万人、改正法が施行される前の2018年10月時点でも、約146万人でした。

この数字を多いと見るか、少ないと見るか。

また、そもそも外国人労働者を〝移民〟ととらえるのか。

日本政府は、外国人労働者と移民を区別して考えているようですが、実質的には、同じではないでしょうか。いずれにしても、政府が受け入れを拡大すると明言している以上、今後、ますます外国人労働者は増えていくはずです。

海外で移民を受け入れる国は、それぞれ移民政策があり、法整備も進められています。それでも問題は山積み。日本は大丈夫？「外国人労働者は移民じゃない」なんて言っている場合ではないと思うのですが。

移民受け入れは慎重に

チャーターしたバスで大勢の移民を首都ワシントンに送り込んだテキサス州知事が言ったように、移民の受け入れにはさまざまな問題がついて回ります。

もともとアメリカは国の成り立ちからして移民国家。建国から今日までに多くの移民を受け入れ、言ってみれば移民によって支えられてきた国です。しかし、それでも問題が起きてしまう。特に、正式な移民条件を満たせず、国境を越えて入国する不法移民の問題は深刻です。

彼らは住居も定まらず、就職できず、人身売買や不法な仕事など犯罪に手を染めてしまうこともあります。また、雇用や待遇などに不満を持った移民が暴動を起こすことも。こうなってくると、治安の悪化にもつながり、移民に対する風当たりはますます強くなっていきます。

ドイツやフランスなどヨーロッパの国々もまた、移民を多く受け入れてきました。しかし2015年、中東地域やアフリカから、規定の手続きを踏まずに海や国境を越えて大量の移民が押し寄せたことから、各地で彼らの受け入れに反対する動きが起こりました。

アメリカでもヨーロッパでも、それ以外の地域や国でも、景気の悪化など、何か良くない兆候があるときには、その国の人々の不満の矛先が移民に向いてしまうことがあります。

移民に仕事を取られたとか、彼らが財政を圧迫しているから自分たちが十分な社会保障を受けられないとか……。その矛先が移民に向かい、鬱憤を晴らすために、移民施設に爆発物が投げ込まれる、移民が住んでいるアパートメントに火をつける、といった事件まで起きています。移民への集団暴行事件も各地で発生しました。

昔からずっと移民を受け入れてきたアメリカやヨーロッパでさえ、こうした問題が発生し、そのたび、最善の方法を模索しているはずです。移民受け入れの長い歴史の中で、何回も何回も移民政策を見直して法を整備してきたけれど、それでもまだ完璧ではないということでしょう。

移民は受け入れていないと言いつつ、外国人労働者という移民を受け入れて、さらに受け入れ拡大を目指している日本も他人事ではないんです。外国人労働者という名の移民の受け入れには慎重になっていただきたいですし、どうしても早急に受け入れるというのであれば、法整備を急いでください。

「労働者はOK、難民はNG」って利権の有無によるものですか？

移民と難民の違いを知っていますか？

日本が「難民」をほとんど受け入れていないことは、よく知られている事実です。「難民」とはどういう人たちのことを言うのでしょうか。その前に、これまでに述べてきた移民についてもう少し解説してみます。

IOM（国際移住機関）の定義をわかりやすく言うと、「移民」とは「本来の居住地を離れて、国境を越えるか、一国内で移動している、または移動したあらゆる人」のことです。

移民の多くは、仕事のために、あるいは結婚して相手の母国へ住むために、または海外で学ぶために、というように自発的な理由で移動しています。

しかし、中には、紛争や迫害、災害などのように、避けがたい理由によって移動を余儀なくされる人もいます。「難民」とは、このような「自発的でない理由で移動を強いられる人々」のことを指します。つまり、移民と区別されるのではなく、移民の中の一部の人々のことを難民と呼ぶわけです。

難民の数は年々増加していると言われています。

UNHCR（国連難民高等弁務官事務所）のデータでは、2021年末時点で、迫害、紛争、暴力、人権侵害などにより故郷を追われた人は、約8930万人（※）。2022年5月には、1億人を突破したことが発表されました。

2021年のデータでは、出身国は上位から、シリア、ベネズエラ、アフガニスタン、南スーダン——と続きます。

一方、彼らを最も多く受け入れたのは、トルコで375万9800人、次いでコロンビアの184万3900人、ウガンダ152万9900人、パキスタン149万の順です。このデータからもわかるように、難民の多くは近隣諸国が受け入れており、受け入れ国の負担が問題視されています。

もちろん、近隣諸国だけではなく、距離的に離れていたとしても、先進国も、祖国を追われてきた人々の難民認定を行い、移民として定住させる、あるいは、第三国定住の橋渡しなどして、彼らが安心して新たな生活を始められるよう努めています。

NPO法人「難民支援協会」が、UNHCRの「Refugee Data Finder」と法務省発表資料をもとに作成したデータ（2021年）によると、先進主要国の難民受け入れ数と認定率は、ドイツ＝3万8918人（25・9％）、カナダ＝3万3801人（62・1％）、フランス＝3万2571人（17・5％）、アメリカ＝2万590人（32・2％）、イギリス＝1万3703人（63・4％）となっています。

一方、日本はどうかというと、この年、日本では2413人が難民申請を行い、認定されたのは、わずか74人。認定率は3％と極めて低い数字が出ています。

これ、みなさんはどう考えますか。

日本の難民の定義がおかしい

他の先進諸国に比べて日本の難民認定率は極端に低い。このことに対して、多くの人は「日本は難民の認定基準が厳しいからだろう」と漠然と考え、なんとなく納得していませんか。

国際社会には難民条約というものがあります。各国が難民の判断をする際の指標になる条約で、日本も加入しています。

難民条約の中で示されている難民の定義はひとつです。ただ、それは大まかなもので、具体

※8930万人には、国境を越えず、国内の別の場所に逃れる国内避難民なども含まれており、厳密な意味での難民は2710万人

的な基準などが細かく決められているわけではないため、国によって解釈が異なってきます。結果として、ある国では難民認定されても、別の国では認められないということが起きてしまうようですが、日本の場合、極端に難民認定率が低いのは、解釈の仕方がおかしいからだという指摘もあります。

たとえば、世界的には、その国の政府が誰を抑圧・監視の対象としているかを正確に認識することは非常に難しいとされているのですが、日本は「政府から個人的に把握され、狙われていなければ難民ではない」という独自の解釈をしています。これによって、難民と認定される人の範囲を極端に狭めていると言われています。

「迫害」の解釈もまた日本独自。欧米などでは、迫害には、命と身体の自由を脅かすことばかりではなく、重大な人権侵害も含まれています。ところが、日本では、命と身体の自由に限定する傾向が強いという。

また、難民であることを証明する「立証の基準」のハードルが高いことも、日本の特徴。日本の難民認定の審査では、母国に帰れない理由を、客観的証拠を示して証明しなくてはならないのですが、「迫害から逃れてくる難民がその証拠を持って逃げること自体、現実的ではない」といった声があがっています。

こうした日本独自の基準は、「国際的には通用しない」と、国内の弁護士や研究者から指摘されているんですね。

難民を受け入れないことで、先進国の義務や責任を果たしていないと、日本は国連からも非難されています。それでも頑なに難民を受け入れないという日本の姿勢を見ていると、裏に何かあるのではないかと、ここでもまた、勘繰ってしまう自分がいます。

日本の難民受け入れの最大の問題点

宗教や思想、政治的な意見の違いから、母国にいると迫害を受ける、あるいは迫害を受ける危険性がある、戦争や内乱、災害などで住む家を失った……。祖国を離れて日本に逃れ、難民申請をする人の事情はさまざまです。

中には、生活が困窮して母国では暮らしていけないという理由で難民申請をする人々もいます。日本の場合、この〝経済難民〟として認定を求める割合が高く、日本政府は、それを気にしているのではないかと思います。

要するに、単に日本で働いてお金を稼ぎたいだけの人が難民を装う〝偽装難民〟を危惧しているのではないか、と。在留資格を失った出稼ぎ目的の留学生などが、日本で働き続けたいがために難民申請をするケースも珍しくないといいます。

以前の日本では、難民申請をした人は、申請から6か月を過ぎれば、難民認定の手続き中であっても日本で働くことができました。そのため、働くことを目的として観光ビザなどで入国した人が、日本滞在中に難民申請をするケースが非常に多かったようです。却下されたら申請し直し、また却下されてもさらに申請する——ということを繰り返せば、その間は日本で働くことができたのです（※）。

日本の難民認定率が低いのは、こうした偽装難民を取り締まるためでしょう。それもわかりますが、そこにばかり集中していると、本当に保護しなければならない人が保護されないということが起きてしまうんです。

この点が、日本の難民受け入れの最大の問題だという指摘もあります。

それに、よく考えてみると、日本は、なんだかやっていることがチグハグな感じ。「移民政策はとっていない」と言いながら、外国人技能実習生という名の低賃金で単純労働を担う人たちをどんどん入れているわけです。単に労働力が欲しいから。

一方、難民は、国際的なルールとして「働かせるため」ではなく「保護する」もの。労働者を受け入れたい日本にしてみれば、難民は「役に立たない」ということなのかもしれません。

でも、よく考えてみてください。申請者には、難民として認定されると、原則として在留資格「定住者」が与えられます。その活動に制限は設けられていないため、就労も可能です。つまり、難民も結果的には日本の労働力になるわけです。それなのに、どうして……？

考えてみると、かたや一部の者の懐を潤す利権案件、かたや利権とは無縁の存在なのです。

前者の技能実習生など外国人労働者の場合は、現地で希望者を募って日本に送り込むブローカーがいて、日本では人材派遣会社が受け入れて、労働者を決まったルートで振り分けて働かせます。しかし、後者の難民の場合は、個人が申請しますから、斡旋業者が入り込む余地はありません。

外国人労働者はOK、難民はNGというのは、そういうことだったのか！

そういう根性だから、世界から批判されるんです！

誰も彼も難民として受け入れればいいと言いたいわけではありません。従来通り、偽装難民はちゃんと取り締まらなくてはいけないけれど、もう少し柔軟になってもいいのでは？

外国人労働者の受け入れを拡大するよりも、その分、きちんとしたプロセスを経て難民を受け入れるほうが、よほど日本にとってメリットがあると思うのです。

まず国際社会での責任を果たせます。さらに、母国での生活が苦しいと訴えて難民申請をする人は、日本で働く意欲満々なはず。こういう人は日本の労働力になってくれるでしょうし、自分たちを難民として受け入れてもらったことで、日本に感謝もしてくれるでしょう。いい国際交流にもなると思うのですが。

※2018年にこの制度は見直され、現在は、難民条約上の難民に明らかに該当しない申請者は、難民認定手続き中であっても、日本での在留も就労も許可されない

相次ぐ死者……吹き荒れる入管への非難の目的は何？

日本の入管は非人道的なのか

２０２１年３月、スリランカ人女性が名古屋出入国在留管理局の施設で長期収容の末に亡くなり、施設側の対応に問題があったなどとして大きく報道されたのは、記憶に新しいところです。

それからほどなくして、２０１４年に東日本入国管理施設に収容中のカメルーン人男性が死亡していたこともわかりました。その原因は施設側の不備にあったとして、訴訟が起こされ（※）、入管施設の非人道的な姿勢に世間の非難が集中しました。

日本の入管はひどい、非人道的だ——。

世の中に非難の風が吹き荒れましたよね。

確かに、明らかに体調が悪いのに医者に診せるなどの適切な処置を施さなかったり、からかうような言葉を投げかけたりと、彼女、彼に対する非人道的な言動は、決して許されるべきではありません。施設に収容された人にも人権はあります。施設側もきちんと認めて、二度と同じことが起きないようにしなければなりません。

ただ、それはそれとして、私にはひとつ、引っ掛かっていることがあります。どうもこの件では、「日本は外国人を入管施設に送って長期収容して、ひどい扱いをしている」というところがクローズアップされて、「日本は非人道的な国だ！」ということだけが強調されているようでならない……。これ、いろいろな誤解を生んでしまいませんか。

義務や責任を果たしてこそ権利が得られる

「日本は非人道的だ」と騒ぐだけではなくて、「なぜこの人たちは収容されているのか？」を、まず考えるべきではないでしょうか。

日本に住む外国人は、在留カード（かつては「外国人登録証明書」）やビザの更新をするために、出入国在留管理庁（2019年以前は「入国管理局」）に出向きます。私自身、何度も足を運んでいますが、人権を無視するような対応をされたことは、これまでに一度もありません。

※入管施設で亡くなったカメルーン人男性をめぐる訴訟の判決で、2022年9月16日、水戸地裁は、入管職員に救急搬送を要請すべき注意義務があったと認めた。また、スリランカ人女性の件を含め、国の責任を問う複数の訴訟が起こされている

そもそも、何も問題がなければ、逮捕されて入管施設に送られたりはしない。施設に収容されるのは、不法滞在などの不法行為があったから。それに、度を越した非人道的な扱いは決して許されませんが、収容された際、指示に従わなかったり暴れたりすれば、押さえつけるなどされるのは当然だと思います。

あのときは、「日本の入管の対応が悪い」といった論調だけが目立ちましたが、理由もなく施設に入れられたりはしないのです。彼らが法を犯したことを棚に上げ、入管の〝おもてなし〟が悪いと批判する……。彼らを支援している方々は、日本ならルールを守って滞在する必要はないと思っていらっしゃるのでしょうか。

すべてのことに当てはまりますが、権利というのは、義務や責任を果たさない限り、認められないんですよ。この入管問題はその究極。日本の法律を犯していることは棚上げにして、権利だけを主張しても、通らない。やっぱり認められないですよ。

大切なのは、「なぜ収容されているのか→不法行為をしたから→じゃあ、不法行為をさせないためにはどうすればいいか」の議論ではありませんか。

外国人の入管施設への長期収容増加を助長しているのは誰？

出国を拒否する収容外国人

出入国在留管理庁によると2023年1月時点で、日本に在留資格を持たない不法滞在の外国人は、わかっているだけで7万4491人います。

不法滞在が明らかになると、審査の上、国外退去の処分が下されれば帰国を求められます。そのうちの多くは帰国しますが、何らかの理由で送還に応じない人は、原則、入管施設に収容されることになります。

すんなり自費で出国してくれるなら施設に収容されることはありません。しかし、多くは「帰るお金がない」と訴えます。飛行機会社などの運送業者が費用を持つ特殊なケースもないではありませんが、結局、日本側の国費送還を余儀なくされることになりがちで、その選択は、国民の貴重な税金を使って外国人を甘やかすことになってしまいます。

不法就労、不法入国、不法残留などの入管法違反の防止を図る意味でも、可能な限り、自費出国の努力を促すそうですが、どうしても厳しい人の場合のみ、国費送還の措置が取られます。ところが、それでも帰らない人がいるんですね。日本側が「旅費は出してあげるから帰ってください」と言っても、頑として首を縦に振らない人がいる。なぜに？　と思いますよね。

ひとつには、どうしても自国が嫌だという何かしらの理由です。帰国すると迫害を受けるなど、ひどい目に遭うことを危惧する人もいるかもしれません。日本は難民をあまり受け入れていませんが、「難民認定されるまでは」と、長期間、踏ん張っている人もいるでしょうか。

ですが、そこまでの理由はなくて、ただ帰国したくないからごねているだけ、という人も少なくないようです。当初は帰国の意思を見せていたのに、途中から翻意する人もいるとか。

これは支援団体から、「ごねていいよ」「ごねちゃってください」とアドバイスを受けた結果だとも言われています。こうした団体は「外国人に対してもっと寛容になれ」と訴えており、出入国管理法を変えさせようとしているんですね。そのためには、収容された外国人の協力が必要不可欠ということらしいです。

入管施設への長期収容が増えている

既述したスリランカ人女性の死亡事件を受けて、入管施設への外国人の〝長期収容〟が問題になりました。在留資格を失っていた彼女が施設に送られたのは2020年8月のこと。2021年3月に亡くなるまでの半年余り、収容されていたことになります。

この女性に限ったことではありません。近年、不法滞在の外国人が増え、入管施設での収容が長期化するケースが相次いでいるようです。

出入国在留管理庁が2021年12月に発表した「現行入管法上の問題点」によると、2020年末時点で、入管施設に収容されている外国人は248人。このうちの約8割は収容が半年以上に及び、3年以上いる外国人も2割近くにのぼります。また、収容期間が3年以上になる者の約8割は、薬物関係法令違反、窃盗・詐欺をはじめとする何らかの犯罪を起こして、有罪判決を受けています。

ちなみに、248人という数字は、前年の3分の1程度。「なんだ、減少しているんじゃないの」と思うかもしれませんが、これは、新型コロナの感染拡大防止のため、施設内の「密」を避けるべく、収容者を一時的に釈放する「仮放免」の措置が積極的に取られた結果であって、不法滞在の外国人が減っているわけではなさそうです。

実際は、不法滞在などで国外退去処分を受けたにもかかわらず、出国を拒否している外国人は3103人。そのうちの2440人が仮放免中ですが、415人が行方をくらましているとのことです。

何ということでしょう⁉　日本人は本当におひとよし。帰りたくないと言っている人を釈放すれば、どうなるか。火を見るより明らかではないですか。

閣議決定した出入国管理法はゆるゆる？

ペナルティが軽すぎる

スリランカ人女性の件で、外国人の不法滞在の増加、入管施設での収容が長期化しているケースの増加が改めて問題になりました。これを解消しようと、政府は出入国管理法などの改正案を提出、与野党が修正協議で大筋合意したものの、最終的に、国会での成立は見送られることになりました。

突如、与党が成立を見送ったらしいのですが、私は、それで良かったと思っています。だって、そのときの改正案はかなり不十分な内容でしたから。

「不法滞在などの不法行為は犯罪ではない」と主張する人たちがいます。彼らは、結局、「ルールをもう少しゆるくすべく入管法を改正しろ」ということを訴えたいのだと思います。不法滞在の外国人を減らすために、まず考えるのは、取り締まりを厳しくすることですが、彼らは「ルールをゆるくすることで、ルール違反になる人を減らす」という発想です。

こうした考え方が反映されたのかどうか、政府が成立させようとしていた改正案は、私から見ると、かなりゆるゆるの内容に思えました。

たとえば、従来は、国外に退去するまでの間、施設に収容するとされていましたが、改正案では新たに「監理措置」という制度を設け、逃亡の恐れが低いなど、一定の条件を満たす外国人は施設に収容せず、親族や支援者のもとで生活することを認めようとしたのです。

これはもはや「監理」でもなんでもないですよね。不法行為をした人を再び世間に放つなんて。

普通、行方くらますでしょ、バカじゃないの？　って思います。

のちのちのテーマでもちょいちょい出てくるけれど、日本は基本、すべて性善説に基づいているんですよね。だけど、世の中、性善説が通用しない人もいるんです。

また、現行法では、国外退去を受けると、原則5年間は再入国できないことになっています。しかし、改正案では、国外退去を受けたあとでも、自費で出国した場合は、再入国までの制限期間を1年に短縮することを可能としました。いったいなんのための国外退去なの？

これもまた、「いいの？　そんなゆるゆるで」です。自費であろうが何であろうが、強制送還させられたら、二度と入国できない国もある中で、この措置。ペナルティが軽すぎませんか。

難民の認定基準を満たさないケースでも、紛争から逃れてきた人や、帰国すると迫害を受ける恐れがある人を保護の対象とする案も盛り込まれていました。

これに関しては、ちゃんとしたルールをつくらないといけないですが、難民の受け入れが少なすぎると国際社会から非難されている日本には、必要な措置ではないでしょうか。適切かなと思いますね。

改悪案と批判する人たちの根拠

世間には改正案を「改悪案」と切り捨てる人もいました。

その一番の根拠は、難民申請中は強制送還が停止される規定の見直しでしょう。この規定により、申請を繰り返す（申請回数に上限はなし）ことで送還を逃れようとするケースがあとを絶ちませんでした。そのため、改正案では、「3回目の申請以降は、原則、（この規定は）適用しない」としていたのです。

これには、難民申請中の外国人や支援団体からも反対の声があがっていました。

前出の出入国在留管理庁の資料によると、出国を拒否する3103人のうち、難民申請中の者は1938人、うち3回以上申請をしている者は481人にものぼっています。こうした人の中には、帰国させられれば、迫害されたり、内戦に巻き込まれたりすると不安を訴えている人もいるといいます。「本来保護されるべき人が送還されてしまう」と、改正案を改悪案と批判する人たちは主張していました。

与党が改正案を見送りにしたのは、難民申請をめぐる問題点などが指摘され、野党側からも、改正案は不十分だという声があがっていたためではないかと言われています。

でも、実は私は、与党は、世間の声や野党に歩み寄ってゆるゆるの改正案に、一旦は合意したけれど、「本当にこれでいいのか？」と考え直したからではないかと見ています。

日本の制度や秩序をやみくもに壊そうとする勢力が暗躍している気がしてなりません。ゆるゆるの改正案が見送られたのは正解だった――と思っていたのに、2023年3月7日、政府は、旧法案の骨子を残した出入国管理及び難民認定法改正案を閣議決定してしまいました。

改正案では、3年以上の実刑判決を受けた外国人や、3回目以降の難民申請者は強制送還の対象になることのほか、前に触れた「監理措置」の導入や、国外退去後の再入国までの制限期間を5年から1年に短縮することなどが盛り込まれています。

当然、前と同じように、難民支援者などは厳しく批判しています。

2023年4月に、この改正案が衆議院本会議で審議入りしましたが、いったいどうなってしまうのでしょうか。

第５章（子どもの権利、親権、給食費）

ニッポンの未来を担う子どもたち。その権利が蔑ろにされている！

イクメンが置いてけぼりになりがちな男女共同参画社会ってどうなの⁉

男性の育休取得率UPのワケ

日本で男女共同参画社会の実現が叫ばれるようになってから久しいです。

男性も女性も、意欲に応じてあらゆる分野で活躍できる。そんな世の中を目指した結果、社会での女性の活躍も著しくなりましたし、逆に、男性の目が家庭にも向き始めて、男性が積極的に子育てに参加するようにもなりました。

〝イクメン〟という言葉も普通に使われるようになりましたね。

かつての日本では、男性が外で働き、女性は専業主婦として家庭を守り、家事と子育てに勤しむという家族の形態が一般的でした。経済が飛躍的に成長した1950年代半ばから1970年代前半にかけての日本は、がむしゃらな労働力を必要としていましたから、その形態がマッチしたのでしょう。この頃から、日本では性別による役割分業が定着したようです。

けれども、1986年に男女雇用機会均等法が施行されて、結婚後も働くことを望む女性が増えていきました。90年代に入ると、共働きの世帯が専業主婦の世帯数を上回るようになったといいます。そして政府は、男性の育児休業を制度化、男性の育児参加を促す政策を次々と打ち出していったのです。

その甲斐あって、男性の意識も徐々に変化していき、厚生労働省のデータによると、1996年度には0・12％だった男性の育児休業取得率は、2021年度には13・97％にまで増加しています。また、2022年4月からは、子どもが誕生する従業員に対して育休制度の周知を行うとともに、取得の意向を確認することが企業に義務付けられました。さらに10月には、「産後パパ育休」という、父親が育休を取得しやすくなる制度もスタートしています。

このような側面だけを見ると、「お父さんは外で働いてお金を稼ぎ、お母さんは家を守りながら子育てをする」という、かつての、性別による役割分担はなくなりつつあるように思えますよね。男女共同参画社会、家庭でも男女が対等に子育てに参加する。とてもいい風潮です。

でも、残念なことに、国をあげて「男性も子育てに参加しましょうね」「男性も育児休暇を取りましょうよ」などと言いつつ、一方では、日本社会には今も「子育ては女性がするものだ」という価値観がしつこく蔓延《はびこ》っています。そのせいで、時代は前に進んでいるというのに、旧態依然とした風潮にとらわれた制度が残っているんですね。これ、見過ごせない問題です。

イクメンの主張が無視される！

日本社会における昔の価値観が顕著にあらわれるのが、離婚のときの親権問題です。

日本では、夫婦が離婚した場合には、そのいずれか一方に親権を定め、他方には親権を認めない「単独親権」の制度がとられていて、基本的に親権は、ほぼ自動的に女性の側にいくようになっています。女性が「親権は要りません」という明確な意思表示をした場合は別ですが、たとえ不倫など女性側に離婚の原因があったとしても、親権は女性が持つのが、多くのパターンです。

なぜなのか。それは、日本社会には今も「子育ては女性がするものだ」という価値観が根強く残っているから。

こう言うと、いかにも女性が古い価値観を押し付けられているかのようにも思えますが、離婚の際の親権（の獲得を望む場合）に限れば、この価値観は女性を有利にしてくれることになります。そして、この現実を突き付けられて愕然とするのは、積極的に育児に参加してきた男性です。一生懸命イクメンを続けてきたというのに、子どもはいとも簡単に元妻に連れて行かれてしまう……。

これ、おかしくないですか⁉　私は折に触れて声をあげていますが、テレビで発言したり、ツイッターで発信したりすると、実際に渦中に巻き込まれている男性から、「養育費はちゃんと渡しているのに、離婚してから子どもに一度も会わせてもらっていない」というような悲痛な叫びが寄せられたりします。

政府は、男性の〝イクメン活動〟を推進しながらも、離婚した場合の親権については従来のまま。結局、国は、不条理な現実に愕然とするイクメンの訴えに耳を傾けず、彼らは置き去りにされているんです。

イクメンが置いてけぼりにされる男女共同参画社会ってどうなの⁉　と思ってしまいます。

日本は子どもの〝連れ去り〟を容認しているとして国際社会から非難されている

単独親権の弊害

ある弁護士さんが、「日本は、子育ては女性が行うもので、男性は養育費を払えばいいという考え方が根付いているのが問題」と、おっしゃっているのを聞いたことがあります。

確かにその通り。イクメンが妻に子どもを取られて泣き寝入りしながらも、養育費だけ払わされるのは、まさに、この弁護士さんの発言そのものですよね。

子育ては女性が行うもので、男性は養育費を払えばいいなんて、実に古い考え方だと思います。でも、これにとらわれている女性がいるのも事実。

離婚したら多くの場合、母親が親権者になって子どもを引き取ります。離婚時には、古い価値観が女性に有利に働くと書きましたが、それは、本当に親権を欲している女性に限ってのこと。世の中にはいろいろな人がいます。どうしても親権が欲しいと願う母親ばかりではありません。中には、子どもと一緒に暮らしたいと思っているわけではないのに、親権を放棄したら子どもを捨てたと言われることを恐れ、ひとりで子どもを育てられるほど経済的に自立できていないのに、子どもを引き取ってしまう母親もいるんです。

こうしたケースは、シングルマザーの貧困問題に直結します。また、そうした母親は誰かに頼らなければ暮らしていけないため、「次の男を探さなくちゃ」と焦って変なのとくっついちゃって、それが子どもの虐待問題にまで発展したりもするわけです。

私は、女性として、母親として「もっとしっかりしてよ！」と言いたくなるのですが、精神的にも経済的にも誰かに頼らなくては生きていけない人は、いるんですよね……。

だいたい、女性の側に育児のすべてを押し付けるような社会風土があることが問題なんです。こういう環境だから、余裕もないのに自分が子どもを引き取らなきゃいけないと思い込んじゃう。そして実際に引き取って、いろいろな問題が起きてしまう。

あとで詳しく触れようと思いますが、こうした問題も単独親権制だからこそ生じることも多く、共同親権制を採用すれば防げることもあるのです。

単独親権制は国際社会からも非難されている

妻が幼い子どもを連れて出て行き（＝連れ去り）、我が子と事実上の生き別れになってしまう父親は、日本では珍しくありません。もちろん、逆のパターンもあるにはありますが、どちらにしても、こんな悲劇が生まれる背景には、単独親権の制度があると思われます。

父親か母親か。単独親権制では、どちらか一方にしか親権は認められません。通常は、当人同士、あるいは代理人を通して話し合われることになります。父親と母親が同居しているときならまだしも、別居してからの話し合いとなれば、子どもは、すでにそのとき、どちらかの親と一緒に暮らしているわけで、日本では、子どもと暮らしているほうに親権が認められるケースがほとんどだと言われています。

親権を争って裁判になることもあるけれど、裁判所も多くは、子どもを連れ去った親に有利な判決を下しています。それが母親ならなおのこと。未成年の子どもの養育には母親のほうが適しているという母性優先の原則が重視されるからということのようですが、前に触れた「子育ては女性がするものだ」という古い価値観と紙一重のようなところもありますよね。

とにかく日本では、「連れ去ったもん勝ち」みたいなところがあるんです。こうした事情に詳しい弁護士の中には、絶対に親権を手放したくない人に対して、連れ去りを指南することがあるとも聞きます。

２０２０年の法務省の調査によると、G20を含む海外24か国のうち、離婚後の親権について、日本と同様に単独親権だけを採用しているのは、インドとトルコの2か国のみ。先進国の中では、日本以外に単独親権を採用している国はありません。

多くの国では、共同親権を認めるのが一般的で、それを認めない日本は、「連れ去りを容認している国」として、国際社会から非難もされています。

2019年2月には、日本政府は、国連子どもの権利委員会から、共同親権を認めるために離婚後の親子関係に関する法律を改正することなどを、勧告されたほどなのです。

子どもの連れ去り問題、日本の法律は不十分

国境を越えて子どもが不法に連れ去られたりした場合の子どもの返還手続きや、面会交流に関して定められた条約があります。1980年にオランダのハーグ国際私法会議で採択された、ハーグ条約です。

国際結婚と離婚が増加していることを背景として、国境を越えた子どもの連れ去りを防止することを目的とするもので、実際に国境を越えた子どもの連れ去りが行われた場合、原則として、子どもを元の居住国へ返還することが、条約加盟国には義務付けられています。

日本も2014年に加盟しています。ですが、実は、日本では最近まで、海外で暮らしていた子どもが日本へ連れ去られた場合、強制的に子どもを元々住んでいた国へ返還するための法律が整備されていませんでした。こうした点が国際的に批判されたことを受け、国内法を改正、

2020年4月1日から、国境を越えて連れ去られた子どもを強制的に元の居住国へ返還するための規定が施行されるようになっています。

とはいえ、日本国内の法制度は、ハーグ条約を遵守するにはまだ十分とは言えなそうです。ハーグ条約では、日本人と外国人の間の国際結婚・離婚に伴う子どもの連れ去りに限らず、日本人同士の場合も対象です。しかし、単独親権制度という日本の現行法では、子どもの権利の尊重、連れ去り禁止、親子の十分な面会交流——といったハーグ条約で定められたことを守ることができないんですね。要するに、日本の法律がハーグ条約に追いついていないというところでしょう。

そんなこともあって、日本の単独親権制度そのものがハーグ条約に違反しているのではないかと言われることもあるようです。多くの国が採用しているのは共同親権、かたや日本は単独親権。この制度の違いから、国際結婚のカップルが離婚する際には、日本人同士の場合よりも、問題はより複雑になるとも言われています。

日本は世界をリードする国のひとつとして、グローバルスタンダードの視点でいろいろな制度を考えてきたはずです。それなのに、親権問題は置き去りにされたまま。残念なことに、先進国と言われつつ、日本は、こういう部分では遅れていると言わざるを得ないのです。

子どもの権利を守るなら親権問題について真剣に議論すべし！

共同親権ならば協力して子育てができる

日本でも共同親権の制度を導入すべき、と私は強く思います。

現行の単独親権制では、父母のどちらか一方にしか親権が与えられないため、子どもの親権をめぐって激しい争いが繰り広げられることも珍しくありません。

最終的には、どちらか一方が親権者に指定されることになりますが、壮絶なバトルのあとには、互いにわだかまりが残ることもあります。その点、共同親権制なら、双方が親権を持つことになりますから、親権をめぐって争う必要はないですよね。

単独親権では、親権を得た親がひとりで子育ての責任を果たすのが基本です。親権者は、子どもと一緒に暮らせる喜びはあるでしょうが、時間的にも経済的にも、そして精神的にも、重い負担がかかってくることは確かです。

たとえば、教育ひとつとっても、進路の節目ごとに子どものための選択や決断を迫られることがあります。どこの小学校に行かせようか、中学受験はしたほうがいいのか……。それらを親権者がひとりで考えて決めなくてはならず、実際に離婚したシングルマザーに聞いてみると、この点が結構負担になっていると言う人も多い。

元配偶者には、二度と自分と子どもに関わって欲しくないという人は少なくありません。でも、その一方で、子どもに関する重要な決定事項は別れた夫（妻）に相談に乗ってもらいたい、子どもの大事なことは一緒に決めて欲しいという人が一定数存在するということですね。

共同親権制では、離婚後も両親が協力して子育てをする義務を負うことになりますから、どちらか一方が重い責任を課せられるということはありません。子どもの教育など大事なことは相談しながら決めていくことができますし、「この点に関しては、相手に頼る」ということも可能になってきます。

女の子をひとりで育てているお父さん、男の子をひとりで育てているお母さん。子どもが異性ゆえに、わからないこと、戸惑うこともあると思います。

たとえば、娘が初潮を迎えたとき。どう接するか、どんなアドバイスをするか、といったことは男親にはわからないでしょうから、そんなときには、元妻を頼るとか。このようなことも、共同親権制のもとではスムーズにいくはずです。

しかし、単独親権制が採られている日本では、親権を持つ親から面会交流を拒否されるケースもあります。そうなると、「子どもに会えないのにお金だけ払わされるのは納得できない」

と思っても不思議はない。実際、養育費を支払わないケースも多いと聞きます。

面会交流を拒否されていないにしても、親権を持たない親が子どもに会えるのは、せいぜい月1回。この程度の面会では、養育費を支払うモチベーションは上がりづらいのではないでしょうか。養育費を払ってもらえない、支払いが滞りがち、というのは、よく聞く話ですが、それは、単独親権制がひとつの原因になっているのだと思います。

しかし、共同親権制なら離婚後も両親が共に子どもに関わり続けることになるため、一緒に暮らしていなくても自らすすんで養育費を支払おうという気持ちになりやすいはず。それに、単独親権に比べれば、離れて暮らす子どもに会いやすくなりますよね。

子どもの権利を最優先に考えて!

共同親権にはメリットがたくさんあることがご理解いただけたでしょうか。ここまでは親の側からのメリットを説明してきましたが、実は、共同親権には子どもにとってのメリットも多く、私が共同親権を推す最大の理由は、そこにあります。

たとえば、単独親権制ではありがちな親権をめぐる熾烈な争い。当事者(両親)はもちろんでしょうが、親権をめぐって両親が争うこと自体、子どもにとってはイヤなこと。精神的なダメージが大きいものです。

その点、共同親権の制度なら、離婚の際の激しい親権争いを避けることが可能ですから、双方にしこりも残りにくいでしょうし、子どもに余計な負担をかけなくて済みます。

「あんなヤツの顔はもう二度と見たくない！」

片方の親がもう一方の親に対して、そう思うのは勝手です。が、それが理由で、引き取った子どもを元夫や元妻に会わせないのはいかがなものでしょうか。

現在の単独親権制のもとでは、親権者の許しを得なければ、片方の親は子どもに会わせてもらえないことが多い。子どもは「お父さん（お母さん）に会いたい」と思っていても、親権者である母（父）親が「会わせたくない」と思えば、父子（母子）の面会交流は実現しないのです。

子どもを妻に連れ去られた夫が、妻の許しを得ないで子どもに会ったりすると、警察に通報されたり、訴えられたりすることもあります。親権を持たない方の親が我が子の運動会に行ったところ、ストーカーだと言って親権者から警察を呼ばれたという話も聞きました。

ひどい話です。子どもの「親に会う権利（面会交流権）」が蔑《ないがし》ろにされています。引き取った子どもを、自分の都合で元配偶者に会わせないのは、その子の権利を踏みにじっていることになるんです。

ですが、共同親権の場合は、子どもとの面会交流も親の権利のひとつということになり、相手方がその権利を奪うことはできません。子どもと離れて暮らす親も親権者。子どもが「会いたい」と言えば、何か特別な事情がない限り、一緒に暮らす親は、離れて暮らす親に子どもを会わせてあげなくてならない。共同親権では、子どもの「親に会う権利」が守られるというわけですね。

すべてのケースがそうだとは言いませんが、現行の単独親権制のもとでは、離れて暮らす親とはどんどん疎遠になっていくのが多くのパターンです。子どもは淋しさを感じることでしょう。

しかし、共同親権制で子どもが親に会う権利が守られれば、離れて暮らす親との面会交流がしやすくなります。一緒に暮らしていなくても、頻繁に会って交流していれば、子どもの心も安定するのではないでしょうか。共同親権の導入を急ぐべきです。

頑なに単独親権制が続くのは裏に〝おいしい思いをする人〟がいるから!?

圧倒的に女性に有利な親権問題

２０２２年11月、離婚後の共同親権の導入を盛り込んだ民法改正の中間試案が、有識者で構成する法制審議会の部会で取りまとめられました。2023年4月には「共同親権」を導入する具体的な検討を進めることで合意。「お、少しは前に進むのか?」と思いきや、現行の単独親権を望む声も根強く、実現までには時間がかかるのではないかと私はみています。

2022年11月15日付「毎日新聞デジタル」によると、シングルマザーの支援団体が全国2524人のひとり親を対象にしたアンケートの結果(2022年7月公表)では、回答者の約6割が単独親権を支持し、共同親権への支持は約1割にとどまったということです。

確かに、賛否両論あることですし、自分や子どもが配偶者からDV(ドメスティック・バイオレンス)やモラハラを受けている場合、単独親権なら、離婚によってそこから逃れることができますが、共同親権になってしまうと、逃れられなくなるのではないかという危惧もあります。そのような場合のルールを決めるなど法制度を整える必要もあるでしょうから、共同親権の導入に慎重にならざるを得ないというのも、わかります。

とはいえ、穿った見方かもしれませんが、先進国では日本だけだというのに、ここまで頑なに単独親権の制度が続けられてきたのには、何か裏があるのではないかと勘繰らずにはいられません。

ひとつには、現行の制度は、既述したように女性に有利ということがあるように思います。

これも前に触れましたが、今の制度で泣きを見ているのは、ほとんどが男性です。女性が「元配偶者に子どもを連れ去られて会わせてもらえません」などと訴えているのは見たことがありません。だから、この問題が社会で議論されていないとも言えるわけで。いいのか悪いのか、今の日本では、女性が訴えて切り込む事象は議論になりやすいのですが、そうでない場合は……。女性に有利な制度だから女性は反対しない。だから、ずっと制度は変わらない。そんなところもあるのではないでしょうか。

親権問題は、離婚によって初めて突きつけられること。夫婦円満で生活している人は考えたこともないでしょうし、実際に離婚して親権者となり、子どもと穏やかに暮らしている女性なら、「別に単独親権でいいんじゃない?」と思うかもしれません。ですが、子どもの権利を優先する社会にしていくためにも、離婚後の親権については、みんなが考えていくべき問題だと私は思うのです。

単独親権制にぶらさがる利権の甘い蜜

現在の制度が続くことで、おいしい思いをする人がいることも、親権制度改革の議論が進まない大きな理由のような気がします。

たとえば、現行の制度では、離婚する際、子どもの親権をどちらが持つかの話し合いが必要になってきますよね。

日本では、裁判所を介さずに夫婦の話し合いで別れる協議離婚が9割を占めるそうですが、それにしたって、当人同士では話したくない、話しづらい、ということもあって間に人を介しての話し合いが持たれることもあります。

そこで求められるのが弁護士です。

今や3組に1組が離婚すると言われている時代です。数字の真偽のほどはさておいても、離婚は決して珍しくない。つまり、今の単独親権制が続く限り、弁護士は安泰と言いましょうか。共同親権制が導入されれば、離婚問題を中心に扱っている弁護士の仕事が減ってしまうのは確実です。

また、世の中には、シングルマザーなどのひとり親を支援する団体が数多くあります。離婚して心細かったり、困っていたりする人にとっては、頼もしい存在であることは間違いないでしょう。とはいえ、団体は単なるボランティアでひとり親をサポートしているわけではないんです。こうした団体には行政などから助成金が出ていることをご存知ですか。

団体はひとり親に仕事を斡旋したりもしますし、ひとり親を積極的に雇う企業もあるようですが、実は、仕事を斡旋する、ひとり親の雇用促進に協力する、などによって、やはり国や地方自治体から助成金がもらえる制度があるのです。

もちろん中には「本当に困っている人たちを助けよう」という精神だけでやっている団体や企業もあるでしょう。しかし多くは、ひとり親を支援するのは、あくまで〝ビジネス〟として。

私にはときどき、彼らが、ひとり親という〝弱者〟にぶら下がって金儲けをしている人たちに見えるんです。もし、単独親権制が廃止されて共同親権制になったとしたら、今の制度下でのひとり親は存在しなくなるわけですから、彼らは困ってしまいますよね。

子どもの権利を優先しない現在の親権制度に本気でメスが入らない。その理由がわかる気がします。

ひとり親手当を目的とした偽装離婚

そして、もうひとつ。ひとり親自身の〝闇〟について思うところがあります。

メディアでは、「シングルマザーは経済的に大変」という部分をクローズアップして取り上げたりするため、世の中には、シングルマザーに同情を寄せている人は少なくないでしょう。でも、実は日本は、ひとり親をサポートする社会制度が、かなりしっかりしています。

扶養手当や育成手当といった名目で月々いくばくかのお金がもらえるし、医療費が助成されたりもする。自治体によって手当や助成の名目、具体的な金額などは異なっていますが、ちゃんと調べて、抜かりなく手続きをすれば、「離婚前より家計に余裕があるかも」という状態になる場合もあるんです。

最近では、その制度を悪用するために偽装離婚をするカップルが増えていると聞きます。これはもう詐欺という、れっきとした犯罪ですが、そこまで深く考えず、軽い気持ちでやっている人がほとんどのよう。

この問題を私がツイートすると、「私の周りにも、そういうことをやっている人はいます」といったコメントが多数寄せられます。

新しいパートナーと同居しているのに、あえて結婚しないでひとり親手当を貰い続けるという〝ズル〟をするシングルマザーも少なくありません。再婚しようがしまいが、パートナーとの同居を始めた時点で、ひとり親へのサポートは打ち切られますが、ズルする人は、うまいこと誤魔化しているのでしょうかね。もちろん、こうしたケースにしても、偽装離婚にしても、バレたらペナルティを科せられます。

結局、このようなことをする人にとって単独親権は都合がいいのでしょう。共同親権になってしまったら、ひとり親手当のようなものはなくなる可能性が大ですからね。

もちろん、私は、ズルはいけないと主張しているだけで、ひとり親のサポート制度を否定しているわけではありませんし、シングルマザー全体を攻撃したいわけでもないんです。

行政は、不正受給をしっかり取り締まり、その分を、本当に必要としている人に支給してあげて欲しいと思います。世の中には、本当に困っているシングルマザーも大勢いるんです。

相次ぐ虐待事件で暴かれる子どもの権利が蔑ろにされている日本社会の実情

虐待事件は社会の構造に原因がある

親による子どもへの虐待があとを絶ちません。痛ましい事件が報道されるたび、「この国はいったいどうなっているの⁉」と、やり切れなさに襲われてしまいます。

もちろん、子どもを虐待する親は世界中どこにでも存在します。虐待をする人の心理はいろいろで、一朝一夕に改善できるものでもありません。この世の中から暴力性のある人をなくすのは容易ではないのです。

ただ、そのような人が犯罪を起こさない社会のシステムをつくることはできます。そのシステムが虐待を防止することになるのですが、日本ではそのシステムが構築されていません。だから、日本では子どもの虐待事件が次から次へと起きてしまう。社会の構造に原因があるんです。少なくとも、私はそう確信しています‼

社会のシステムがちゃんとしていれば、子どもは救うことができます。

たとえばアメリカでは、子どもに虐待を加えている可能性があると、行政なり警察なりがその家を訪問します。ここまでは日本と同じようなものですが、親が来訪を拒絶してドアを開けなかったりした場合、ドアを叩き割ってでも家の中に入って行きます。

親が薬物中毒であるとか、銃を持っているとかで危険なケースも少なくなく、日本に比べて問題は深刻です。だからこそ「子どもを守る」という前提で、虐待の可能性がある親とは、しっかり向き合って話をしますし、虐待の疑いが晴れるまで子どもを保護し、親を近づけないようにします。それくらい厳しくしなければ、子どもを守ることはできません。

ところが日本はどうでしょう。虐待の疑いがあると通報を受けた児童相談所の職員や警官が訪れても、「なんでもありません」とか「今、寝ていますから」などと言って、門前払いをする親は少なくないといいます。結局、駆けつけた人たちは家に入って様子をうかがうこともなく、親から事情を聞くこともなく、子どもに会うこともなく、すごすご引き下がってしまうのが大方のパターン。

「まさか子どもに危害を加える親なんていないだろう」という性善説に基づいた行動でしょうが、性善説が通用しない親なんて、世の中にはいくらでもいるんです。

また、たとえ児童相談所が子どもを保護したとしても、親が迎えに来たら、そのまま子どもを帰してしまうことも珍しくないようです。その結果、さらに虐待されて子どもが亡くなるという痛ましい事件にも発展してしまうのです。「なんでそこで帰しちゃったの⁉」と思いますが、子どもを連れて帰るのは親の権利だから、ということらしい。いやいや違うでしょ、まず子どもを守らないと！

子どもは権利を主張していい

ユニセフも「子どもの権利条約」で謳っていますが、子どもには権利があります。

・生きる権利……住む場所や食べ物があり、医療を受けられるなどして命が守られること。

・育つ権利……勉強したり遊んだりして、持って生まれた能力を十分に伸ばしながら成長できること。

・守られる権利……紛争に巻き込まれず、難民になったら保護され、暴力や搾取、有害な労働などから守られること。

・参加する権利……自由に意見をあらわしたり、団体をつくったりできること。

この「子どもの権利条約」は、子どもの基本的人権を国際的に保障するために定められた条約で、1994年に日本も批准しました。しかし、うーん、どうなんでしょうか。日本では本当に子どもの権利が守られているのか、はなはだ疑問に思うときがあります。

だいたい、「子どもには権利があって、それは尊重されないといけない」ってことを、学校教育で教えていないのが、まず問題。これ、意図的ではないですか？

子どもの権利について学校で教えていれば、子どもは、暴力を振るったり、ネグレクトしたりするような毒親と一緒にいる必要はないとわかります。もし、両親が離婚していて、一緒に暮らす母親が毒親なら、「お父さんのほうに行きたい」と自分の意思で訴えることもできる。

こうしたことを子どもに教えないのは、意図的で、何か裏があるんじゃないか。そう勘繰ってしまうくらい、なんだか日本はおかしいですよ。

海外では、「自分の権利が踏みにじられている」として、子どもが親を訴えることがあります。そこまでやるほどにならなくてもいいけれど、「子どもにも権利があって、それを主張していいんだ」ということを意識できるような環境で育ててあげることは必要です。そうしておけば、トラブルに巻き込まれたとき、「親からだって逃げていいんだ」「親だって訴えていいんだ」と思うことができますからね。

子どもの権利については、大人ももっと周知する必要があることは、言うまでもありません。

虐待事件が公になったとき、学校や児童相談所などの会見を見ると、常に責任のなすり合い。子どもの権利について知っていれば、あんなことにはならない。日本社会は、もっと子どもの権利を尊重し、法律を変えるなどして、しっかりと子どもを守るシステムを構築していくべきです!!

この国は滅びてしまうんじゃないですか？

子どもへの影響を監視し、虐待を防ぐ

２０１８年3月、東京都目黒区で5歳の女の子が度重なる虐待の末に亡くなるという痛ましい事件がありました。

あのとき、責任逃れをしているような関係者の会見をやるせない思いで見た人は、私以外にも大勢いると思います。中には、親権制度を引き合いに出して怒っている人もいました。共同親権制を導入すれば、防げたかもしれない事件だ、と。

そうなんです。共同親権のメリットの話に戻りますが、共同親権は、子どもへの虐待を防ぐことにもなるんです。

目黒の事件もそうでしたが、子どもへの虐待は、親の再婚相手、もしくは新しいパートナーによって行われる場合が大多数とされています。今のような単独親権だと、親権を持たない親は子どもとの面会交流がままならなかったりしますから、我が子が邪魔者扱いされていないか、暴力を振るわれていないか、ネグレクトされていないか、などを確認することが容易ではあり

ません。また、たとえ虐待が疑われるようなことがあったとしても、離れて暮らす親は親権がないため、その環境から子どもを簡単には救い出せません。

単独親権であろうが共同親権であろうが、子どもと暮らす親が、別の人と再婚したり、一緒に生活したりする自由はあります。離れて暮らす子どものことが心配でも、元配偶者にそれを止める権利はありません。ただ、共同親権なら面会交流も頻繁でしょうから、離れて暮らす親が子どもに話を聞くなどして、その環境をチェックすることはできます。そして、子どもが望むなら、子どもを引き取って自分が育てることも可能です。

つまり、共同親権制は、子どもと同居する親が新しいパートナーとの生活を始めた際、子どもへの影響を監視し、虐待を防ぐ機能も持ち合わせていると言うことができるのです。

おせっかいおばさん復活希望！

もちろん、共同親権制になれば、それだけで子どもが完璧に守れるかというと、決してそうではない。親だけでは限界があります。

昔の日本は、家には両親と子どもの他に、おじいちゃん、おばあちゃんがいるのが普通でした。隣近所とも距離的にも心理的にも近かったため、子どもへの虐待などがあったとしても、両親以外の誰かが手を差し伸べて子どもを救うことができました。

ところが日本の社会は、核家族化が進み、隣近所との付き合いも希薄になり、どんどん閉鎖的になってしまっています。かつては、人さまの家の教育方針にまで首を突っ込んでくるほどおせっかいなおじさん、おばさんが、どこにでもいたものです。面倒見も良くて、いざというとき頼りになる。でも、おせっかい。そんな人を受け入れない人が増えてきて、おじさん、おばさんも、だんだん何も言えなくなってしまった。

若い世代はせいせいしているのかもしれませんが、どこか違う。〝自由のはき違え〟と言うのでしょうかねぇ……。一見、誰にも干渉されず、伸び伸びと過ごしているように思えますが、個々の家庭が閉鎖的になっているものだから、ちょっと近所に子どもを預けて美容院に行く、なんてこともできない。親にはかなりのストレスがたまるだろうし、そんな親のもとで育つ子どもにいい影響があるはずがありません。

今さら、昔のような隣近所とオープンな関係の社会を取り戻すのは容易ではないでしょう。でも、祖父母、親族、保育者（※）、教師、保育士、医者、警察、そして、報道関係者、有識者、あとは行政、立法に関わる人々——。すべてが「社会の子どもを育てている」という自覚を持ち、常に目を光らせておくことは、できるのではないですか。

みんなが育児に関心を持つ社会でなければ、子どもを守ることはできません。どこか（誰か）ひとつが欠けるとおかしなことになってしまいます。バランスが大事ということなのですが、どうも日本は、そのバランスが取れていない気がします。みんながそれぞれ無責任と言えばいいのか……。だから結局、何かが起こったときに責任のなすり合いになってしまうんです。

繰り返しになりますが、目黒の虐待事件を受けて開かれた関係者による記者会見。あれは、その典型です。学校にしろ、児童相談所にしろ、彼らの言葉を聞いていると、なんだかすべてを投げ出している感じがしてなりませんでした。

本当に子どもを守る気があるの？　と言いたくなる感じ。

あの当時、ニュースでは、近所の人のインタビューなども流されていましたが、虐待の事実を知らなかったというより何より、あの女の子の存在さえ知らなかったと答える人が複数いたことに、私は愕然とさせられました。

日本のみなさん、こんな社会でいいんですか!!

自分たちが守られていない、関心を持たれていない。この国の未来を担う若者や子どもたちは、そんな社会システムの中で生きているんですよ。

こうした話を私がツイートすると、「怖い、俺、結婚したくなくなった」「子ども産みたくないなぁーって思ってしまった」といった若者からのコメントが寄せられます。

そりゃそうですよ。こんな社会で、結婚して家庭を持って子どもを育てていこう！　なんて前向きな気持ちになれないですよね。

今のままだと、いずれこの国は滅びてしまうんじゃないですか。私は本気で憂えています。

※文字通り、子どもを保育する人。一時的に子どもを預かる里親や、子どもを養子に迎えて育てる養父母など

すべての親に性善説が通用するわけじゃない

なぜ給食費未納という問題が起きるのか

子育て世帯には、国が定めた制度によって、子どもが誕生してから中学校を卒業するまで「児童手当」が支給されます。金額は、子どもの人数や年齢によって異なりますが、子どもがひとりなら、0歳から3歳までは月々1万5000円、それ以降は1万円が受け取れます（ただし、親の所得が定められた限度額を超えると、一律5000円に）。

ひとり親世帯にはこれ以外の給付金もありますし、2020年には新型コロナウイルス感染症の蔓延を受けて、2022年には食費などの物価高騰などを受けて、子育て世帯に、子どもひとりにつき、それぞれ10万円の特別給付金が支給されています（ただし、後者は、親の所得制限あり）。

これだけ見ると、「なんだかんだ言いながらも、国は子どもたちのことを考えているんじゃないの」と感じるかもしれませんが、私はそうは思いません。

これらのお金は、現金で親の銀行口座に振り込まれます。そのお金を我が子のために使うなら問題はありませんが、そうじゃない親がいるから、学校の給食費が未納になったり、3度の食事さえ満足に食べさせてもらえない子どもが出てきたりしてしまうんです。

手当や給付金を親の口座に現金で振り込むのは、「親なんだから、そのお金は子どものために使うはず」という性善説に基づいています。けれど、それが通用する親ばかりではないのです。そのお金を握りしめて、いそいそとパチンコに出かける親もいます。

給食費を払ってもらえない、修学旅行のお金を積み立ててもらえない——。

子どもたちの中には、家が貧しくて、学校でしかごはんを食べられない子もいます。そんな子は給食を何より楽しみにしているというのに。お金を積み立てていないために修学旅行に参加できず、「風邪をひいたから」などと言い訳して、休まざるを得ない子もいます。

親のせいで、なんで子どもが、恥ずかしい思いや惨めな思いをしなくちゃならないの？

この国は一体どうなっちゃっているの？

子どものために使われないなら、児童手当や給付金などなくていいんです。その分を、国は、直接子どもに使ってあげてください！

子どもはすべて無償でいい

幼稚園、小学校、中学校、高校、できれば短大まで、学校にかかるお金をすべて無料にすることはできませんか？

どんな親のもとに生まれようが、すべての子どもが、学校に行きさえすれば教育が受けられて、制服も支給されて、みんなと同じ教材を使うことができて、お腹いっぱい給食が食べられて、みんなと同じように遠足に行ったり、修学旅行に参加したりできる。そんな制度を整えなければダメなのです。

給食費なんて、お金をばら撒く前に、最初から無償化すればいいのに。ずっとそう思い続けていたのですが、ここにきてやっと、その動きが出てきました。岸田首相の「異次元の少子化対策」のたたき台の中に給食費無償化の検討が盛り込まれましたし、立憲民主党と日本維新の会が「学校給食無償化法案」を共同で国会に提出しました。

遅きに失した感もありますが、こうした動きは歓迎すべき。早期の実現を目指して欲しいところです。

また、特別給付金などの名目でお金をばら撒くときに、所得制限云々という話が必ず浮上します。「大事なのはそこじゃないでしょ」と、今すぐにでも国会に行って言いたいくらいです。お金をばら撒くくらいなら、親の所得なんか関係なく、子どもはすべて無償でいい。それで増税されるなら、甘んじて受け入れましょう、と私は思います。

子どもが飢えて死んでしまったとか、親に虐げられて死んでしまったとか……。私はこれ以上、心が痛むようなニュースは見たくありません。

今このときだって、苦しんでいる子どもがいます。親が悪いのはもっともですが、子どもを救うことができないのは、性善説に基づいた制度に欠陥があるからではないですか。

おかしな親はいくらでも存在するのですから、親に委ねるべきではないんです。日本は国として、子どもたちの権利を守るためには何を優先すべきかを、よくよく考えていただきたいです。

フードバンクによる〝監視の目〟

アメリカが発祥の「フードバンク」のような〝開かれたシステム〟を整えることもまた、日本には必要だと思います。

フードバンクというのは、品質に問題がないものの、賞味期限などいくつかの理由から市場で流通できない食品を、企業から寄付してもらって、生活に困っている人に配給する活動です。食品以外でも、たとえば、衣類や生活雑貨などが配られることもあるようです。

日本でも、その活動は始まっているものの、もっと活発になってもいい気がします。というより、そうしなくてはならない。

フードバンクのようなシステムは、生活困窮者を物質的な面で助けるのはもちろんですが、他にも大事な役割を果たしています。

たとえば、アメリカなんかでは、そこに相談員がいて、「何か困っていることはない？」などと声掛けをして、配給を受けに来る親や子どもの相談に乗ったりします。また、子どもはちゃんとご飯を食べさせてもらっているか、虐待されていないか、母親に変なパートナーがくっついていないか、といったことを、彼らの様子などから確認したりもします。フードバンクは、いわゆる〝監視の目〟の機能を持ち合わせているということですね。

日本では、個人の自由を守らなくてはいけない、プライバシーを保護しなくてはいけないなど暗黙の縛りのようなものが多すぎて、監視の目がないのも問題なんです。

フードバンクのような制度をつくるのは、行政の仕事じゃないですか。

日本は、世界中が認める先進国です。先進国であるならば、子どもたちに何ひとつ不自由を感じさせることのない、子どもの権利を第一に考えた制度をつくっていくべき。また、そうした制度が整っていることも、先進国の条件になるのではありませんか。

第６章（フェミニズム、ジェンダー問題）

勘違いだらけの
フェミニズム旋風吹き荒れる、
〝女尊男卑〟の世の中を斬る！

現代日本は〝女尊男卑〟社会です

女性差別は大問題、男性差別は許される

〈娘はお父さんキモい、洗濯一緒にしないで…息子がお母さんに優しくすると、マザコン扱い。日本のここだけはほんとおかしいと思う。まず娘がお父さんを汚いもの扱い、これ夫婦間が影響してると思うし、母親想いの息子をマザコン扱いって、女の嫉妬が影響してる気がするし、やっぱ女尊男卑よね、日本は〉

２０１７年3月に私がツイッターでつぶやいた文章です。これが思いがけず、あちこちで議論を呼び、賛否両論さまざまな意見をいただきました。

「いやいや、日本は相変わらず男尊女卑だ」という声も少なくありませんでした。でも、本当にそうでしょうか。私の目には、日本では、女性はもはや虐げられてはいなくて、逆に、男性のほうが虐げられているふうに映っています。

「思春期の女の子が父親を避けるのは脳のメカニズムによるもので日本に限らない」といったリプ（他の人のツイートに返信をすること＝リプライの略）もありました。

私はそういうことを言いたかったわけではないんです。確かに、思春期の女の子がお父さんを避けたり、息子がお母さんと仲良しなのを好ましく思わない人がいるのは、日本に限ったことではない。ですから、私は、この現象自体を批判するつもりはありません。

私がおかしいと思うのは、「父親がキモい」と言ったり、母親想いの息子を「マザコン」呼ばわりしたりすることが許されていること、、、、。テレビの街頭インタビューなんかでも、「うちの夫、朝起きると口臭いんですよ～」などと言って盛り上がったりするじゃないですか。「愛情表現が下手だから照れ隠しで言っている」という意見もありますが、逆だとどう⁉ 男性が「うちの嫁さん、朝起きたら髪ボサボサでノーメイクでオバケみたいで、息は臭くて」なんてことを言ったら、大変なことになるでしょう？

今の日本は、男性が女性をけなすことは許されませんが、女性が男性を酷評する分には許されているんですね。やっぱり、日本はどう考えても女尊男卑の社会です。

以前、ある女性議員の方が、「おっさん政治をやめさせよう」とツイッターで発信したところ、「男性差別だ！」と盛大に批判されていました。

おっさん政治――。確かに、今の日本の政治をそう表現したくなる気持ちもわからなくはないのですが、この議員さんは、普段からジェンダーフリーを標榜している方です。その人が、こんな言い方をしてしまうんですね。

もしこの議員さんが「おばさん政治」などと言われたりしたら、大騒ぎするはずです。それなのに、どうして？　と考えてみると、やはり「男性のことは悪く言っても許される」という日本社会にどっぷり浸かっているから。

女性を常に弱者と位置づけ、弱い立場だから何を言っても許されるという考えが根底にあるからではないでしょうか。

世界的に見れば日本は女性の天国

世界には、まだ女性に選挙権が与えられていない国が存在しています。サウジアラビアなどでは、女性が車の免許を取れるようになったのは、つい数年前のこと。このような国の目線で見ると、「日本は女性の天国じゃないですか」と思ってしまう。

男性は、ちょっとでも油断すると「セクハラだ」とすぐに言われてしまうから、職場などでは常に緊張し通しだったりするし、仕事だけで手いっぱいなのに、育児や介護などのケアワークも求められたり。「男はつらいよ」ではないけれど、今の社会は男性のほうが結構大変だったりするのではないでしょうか。

こんなことを言うと、「男の人から好かれたいから、そんな発言をするの？」と言われてしまうのだけれど、そうではなくて、日本社会を見た私の本心からの言葉です。

「いやいや、そんなこと言うけど、うちのダンナは私のことを見下した発言をしょっちゅうするよ」

「うちの夫なんか、家では何もしないでふんぞり返ってる。私を家政婦と思っているのかしら」

確かに、そういうこともあるでしょうが、個々のケースをいちいちあげていったらキリがない。その国のジェンダー問題を見るときは、社会全体を見るべきで、個々のケースを取り上げても仕方がありません。だいたい、「うちのダンナは――」と夫の男尊女卑の姿勢をとがめる人がいるけれど、それは、個人の責任。相手を選び間違えたのです。

大学の医学部の入試で、女子より男子受験生を優先して合格させる大学の存在が明るみに出て、大問題になったことがありましたよね。女性は妊娠出産で仕事を休まざるを得ない時期があり、複数の女性医師が同じタイミングで休むかもしれず、医療体制を構築しづらいというような課題はあるのかもしれません。

でも、だからと言って、その課題を、学びの場に持ち込んだのは、言語道断。問題になって当然なのだけれど、問題になったということは、基本的に、日本社会は女子を差別していないからではないでしょうか。異常な案件だと認識したからこそ、あれだけ問題になったのだと思います。

ジェンダー・ギャップ指数はまったく指標にならない

女性はみんな管理職とか政治家になりたいの？

２０２２年7月、世界経済フォーラムが、各国における男女格差を測る『ジェンダー・ギャップ指数２０２２』を公表しました。

これによると、日本は１４６か国中１１６位。先進国の中では最低レベル、アジアの中で韓国や中国、ＡＳＥＡＮ諸国よりも低い結果でした（※）。

こういうものが発表されると、メディアは数字だけ目立つようにドカンと出したがります。そして、あちこちで「日本は遅れている」という指摘がなされたりします。

でも、私は違うと思うんですよ。この指数は、「経済」「政治」「教育」「健康」の4つのデータから作成され、0が完全不平等、1が完全平等を示します。日本はどうかというと、総合スコアは０・６５０。この数字をもってして１１６位のランキングになったわけです。

各分野のスコアを個別に見てみると、「教育」は１・０００で1位という結果が出ています。これは識字率、初等教育就学率、中等教育就学率、高等教育就学率、それぞれの男女比でスコアを出すのですが、日本の場合は完全に男女平等ということですね。

「健康」は０・９７３で63位でした。出生児の性別比、健康寿命の男女比から見ていきますが、日本は世界トップクラスのスコアです。

これらに比べて、「経済」は０・５６４で１２１位、「政治」は０・０６１で１３９位（順位はいずれも１４６か国中）と、極端にスコアが低くなっています。「経済」は、労働参加率、同一労働における賃金など、いくつかの項目で男女比を見てスコアを出します。この分野のスコアを下げている大きな理由は、管理的職業従事者の男女比。要するに、日本では管理職の女性が少ないということです。

国会議員、閣僚の男女比などでスコアを出す「政治」の分野のスコアが低いのは、言うまでもなく、女性の議員や閣僚が極端に少ないためです。

この現実を見て、「やっぱり日本はまだまだ男性社会で女性は差別されている」などと言う人もいるのだけれど、男女雇用機会均等法ができて40年近くになる世の中です。会社の役職昇進などで女性差別をすれば大問題です。なぜ女性の管理職が少ないかというと、出世志向の女性が少ないからにほかなりません。議員もそうです。女性だから落選するのではなく、最初か

※ＴＯＰ５のランキングは以下。１位アイスランド、２位フィンランド、３位ノルウェー、４位ニュージーランド、５位スウェーデン

ら政治家になりたいと思う女性が少ない。女性議員が少なければ、入閣する女性が少ないのも当然でしょう。管理職にしても政治家にしても、早い話、「だって、そこを目指している女性が少ないんだもん」ということです。

こんなことを私が言うと、「いやいや、だから、女性でも管理職や政治家になりたいと思う社会にしていかなきゃいけないんだよ」と指摘されることがあります。「そうじゃない社会だから問題なんだよ」と。

そういった人たちは、「女性は虐げられている」という前提で物事を語るから、議論が間違っておかしな方向に行ってしまうのではないですか。違うんです。日本が男尊女卑の社会だからジェンダー・ギャップ指数が低いのではない。むしろ、多くの女性が、日本社会に根付いてきた自らの立ち位置を容認し、自ら選択しているということなんですよ。

女性に負担がかかりがちなのは確かだけど

たとえば、議員のことで言うと、今、女性には選挙権だけでなく被選挙権もある。政治家になりたければ、立候補していいわけです。

じゃあ、会社の中での管理職はどうなの？　という話ですが、昇進を望むなら、女性でも、自分で頑張ってどんどん上がっていけばいいんです。中には「女性だからという理由で抑えつけられている」と言う人もいますが、もし本当にそんなことがあるのなら、そして、その現実に我慢ならないのなら、しっかりと声をあげればいいのです。

社会のシステムとして、日本では、女性が虐げられるようなことはないと思います。ただ、管理職や政治家を目指す女性が少ないのは、「やることがたくさんあるから」という理由もあります。家事、育児、介護――と、この社会は女性に負担がかかりがちであるのは確かでしょう。でもこれは「社会のシステム」の問題ではなくて、日本の風潮なんですよね。そんな世の中で、これまでの女性たちは、「自分がやるものだ」と背負ってきたんですね。

この風潮は変えていくべきとは思いますが、若い世代の人たちを個々に見てみると、これもなくなりつつある気がしています。

ちなみに、上位にはアイスランド、フィンランド、ノルウェーといった北欧勢がランク入りしていますが、6位にはルワンダ、8位にナミビアと、アフリカの国が入っています。北欧の国々が上位にあるのは理解できますが、アフリカ勢はちょっと意外に思うかもしれません。でも、これらの国々では、女性の議員や閣僚、会社の管理職に女性が多かったりするようです。日本などと比べると、はるかに女性の地位が低いため、「社会を変えていかなくてはいけない！」と一部の女性が頑張って政治や経済の世界に参加しているからです。

日本は、そこまでしなくても、もうすでに実質的にはジェンダー・ギャップのない社会です。毎年発表されるジェンダー・ギャップ指数なるものが、まったく指標にならないことがわかるでしょう？

東大の〝女子学生限定家賃補助〟に違和感！

女性は武器になる？

２０１７年春から、東京大学は、「女子学生向けの住まい支援」として、教養学部前期課程に入学する女子学生のうち、自宅から駒場キャンパスまでの通学時間が90分以上であり、かつ大学側が用意したマンションなどに入居する者に限って、月額３万円の家賃を補助（最大で２年間）しています。

これ、男女共同参画推進の観点から、男子学生の２割弱しかいない女子学生を増やそうとする狙いがあるようです。女子寮が廃寮となって代わりがなかったこと、地方自治体の県人寮などに男子限定のものが多かったことなどが導入のきっかけになったようですが、この制度の導入が発表されたとき、私には違和感しかありませんでした。

私学でやるのなら、まだ大学独自の方針として容認できますが、国立大学でこうした前例をつくるのは、いかがなものでしょうか。女子学生だけへの支援制度ということで、「男子学生への差別だ」「不公平だ」という声が猛烈にあがっていましたが、当たり前です。

それに、こんな制度ひとつで、東大に入る女子学生の数が大きく変わるとは思えません。実際、制度が始まった2017年の女子学生の比率は19・3%、2018年18・3%、2019年16・9%、2020年18・5%とほとんど変化がないのです。2021年は20・0%になって、超えられないと囁かれていた「2割の壁」を突破しているものの、それが家賃補助制度の功績なのかどうかは疑わしいですね。

「そういうことじゃないんじゃない?」と、東大の女子学生への家賃補助の制度を知ったとき思ったのですが、今の日本では、同じように感じることが多々あります。

たとえば、女性の議員が少ないのは、やりたい人が少ないせいだと書きましたが、逆に、手をあげれば、女性のほうが当選しやすかったりしませんか。つまり、女性であることが武器になるんです。別に、そうしたことを武器にするのがいけないと言いたいわけではありません。女性を武器にするのも構わない。女性ならではの視点やアイディアは新しい社会を創造する起点にもなるはずですから。

問題は中身が伴っているかどうか。実力の社会にしていかなくてはいけません。

女性だからといって優遇されるのはおかしい

今、政治の世界に限らず、「女性の意見を聞こう」「女性を採用しよう」などと、「女性を持ち上げておけばいいだろう」といった風潮が目立ちます。だけど、「女性」にこだわりすぎると、中身がスッカスカになってしまう恐れもあるのではないですか。

第2次安倍改造内閣は「女性の活躍」を華々しく掲げ、それを象徴する人事として5人の女性議員を入閣させました。このとき、メディアも「女性、女性、女性――」とさんざん持ち上げました。

しかし、わずか1か月半で不祥事により2人の女性大臣が相次いで辞任することになったのです。すると、今度は「だから言わんこっちゃない」といった論調。「女性というだけで入閣させるから、こんなふうになるんだよ」というような批判の声もあがるようになりました。

「女性、女性、女性――」と、そのことだけにこだわりすぎず、中身を大事にして淡々とやっていけばいいのではないですか。企業のリクルートにしても、優秀な人を採用した結果、今年はたまたま女性の方が多かった、ということもあるでしょうし、その逆もあっていい。

女性ということで差別されない社会であるべきだけど、同時に、女性であるだけで優遇される社会であってはいけないと思うのです。

「女性の足を引っ張るのは女性」は真実ではないですか!

「女たちは国葬に反対する」

2022年9月1日、東京の有楽町駅前で、女性団体主催による安倍晋三元首相の国葬に反対するデモが行われましたが、この様子を見て私は驚きました。

税金が使われる国葬に反対の声をあげるのは自由です。しかし、彼女たちが手にした横断幕にはこんな文字が書かれていました。

「女たちは国葬に反対する」

びっくりすると同時に、「ちょっと、やめてくれない?」と思った私。ツイッター上でも「主語が大きすぎる」と批判が巻き起こりました。

〝女性〟ではなく〝女〟という表現が乱暴ですが、それはさておき。なぜ、彼女たちは「女たちは国葬に反対する」という言い方をしたのか。これは、〝女性〟を利用しているからに他なりません。この国では、いかに〝女性〟が注目され、特別扱いをされているかが、よくわかっている。だから、〝女性〟を前面に押し出すわけです。

同じ女性からすると、不快でしかありません。そもそも「女たちは国葬に反対する」という思想の押し付けが迷惑です。

こうした団体が、こんなふうにおかしなことをすることで、女性全体の印象が悪くなります。彼女たちが女性の足を引っ張っているんです。「女性の敵は女性」などと言いますが、本当にその通りだと思います。

日本では、ジェンダーレスを叫ぶ団体やフェミニストほど、〝女性〟を利用しているのではないでしょうか。ジェンダーレスを訴えておきながら、逆に性別にこだわっているのではないですか。ちなみに、この抗議デモには女性の国会議員も参加していました。呆れてしまいます。

本来のジェンダーレスの社会とは

かつても似たようなことがありました。

「触るな！　セクハラだ！」

野党女性議員らの絶叫が夜の国会に響き渡ったあの〝事件〟を覚えている人は多いのではないでしょうか。

2015年9月16日夜、参院平和安全法制特別委員会で安全保障関連法案の締めくくり総括質疑が行われることになっていました。ところが、民主党をはじめとする野党が〝人間バリケード〟と称して、理事会室の前に議員を配置。委員会室に委員長を入室させないよう、通路を封鎖するためでした。

この〝人間バリケード〟の中でも特に目立っていたのが、野党の女性議員たち。「怒れる女性議員の会」と書かれたピンクのはちまきを頭に締め、近寄ろうとした自民党の男性議員に「触るな！　セクハラだ！」と叫んだらしい。

状況を打開するため、今度は女性の警備員を出動させましたが、「女を利用するな！　女をこうやって使うんだな、今の政権は！」と叫び、なおも激しく抵抗したということです。

この出来事に対して、ツイッター上でも批判の声が溢れました。

〈ほんとにセクハラされてる人からすればいい迷惑〉

〈同じ女性として不愉快でしかない。こんなのは逆セクハラです〉

〈性を盾にするなんて、痴漢冤罪つくってる人と同じで女性として最低なやり方だと思う〉

この一件のようなことが起きると、「女性は目的達成のためには〝女性〟を利用する」という誤解を世間に与えてしまいます。それを平気で、国会議員の女性がやってしまうのですから、これまた呆れてしまいます。

やれやれ……。ジェンダーレス訴求の先頭に立つべき女性議員が、自ら、女性であることを都合よく利用している。私は、同じ女性として情けなくなりました。やっぱり、女性の足を引っ張るのは女性なんですね。

年齢や性別に関係なく、すべての人にチャンスが与えられる実力社会こそが、本来のジェンダーレスの社会。〝弱者〟という立場を利用して、むしろ強くなってはいけないのです。

日本のフェミニストは勘違いだらけ

自由には義務や責任が伴うことを忘れないで

日本社会が女尊男卑になった理由として、戦後の価値観の変化を指摘する人がいます。戦争に負けた日本は、戦後、ＧＨＱの管理下で民主主義国家として歩み始めた際、戦前の価値観はすべて覆され、家庭における父親の権威なども否定されたとか。家庭で、妻や娘からお父さんがぼろかすに言われたりするのは、こうした背景があるからではないか、というのです。

確かに、そういうこともあるでしょう。でも、それより何より、私は、日本が女尊男卑の社会になったのは、女性解放運動の間違った解釈、つまり、「勘違い」が大きいのではないかと思っています。

１９６０年代後期、アメリカから、男女平等の権利を求める女性解放運動（ウーマンリブ）が起きました。日本にも輸入され、国内では70年代に運動が活発化。これが社会を変えていく原動力になり、１９８５年の男女雇用機会均等法成立にもつながったとされています。

こうした流れはいいのですが、思うに、日本でウーマンリブの先頭に立った女性たちは、どこかで勘違いをしてしまい、それが今の日本社会にも脈々と受け継がれているのではないかと。

ウーマンリブでは、男性からの解放、性の解放が訴えられました。その先にあるのは「自由で強い女性像」でしたが、日本人は、この「自由で強い」の受け取り方を間違えてしまったのではないでしょうか。

「自由」というのは、好き勝手やればいいということではありません。

また、「強い」とは「威張り散らす」ことではありません。

欧米などの女性は、確かに「自由で強い」印象があります。自由には義務や責任が伴いますが、ちゃんとそれを果たした上での、のびやかさ。強いと言っても、そこにはしなやかさもあるように感じます。

けれど、今、ジェンダーレスを訴求する女性や、フェミニストの方々を見ていると、権利ばかりを主張して喚き散らしているように見えてしまうんですね。

彼女たちは、男女平等を叫びながら、「女性の権利を増やしたい、女性を優遇しろ、そのためには男性の権利を制限すべきだ」と訴えます。これのどこが男女平等なのでしょうか。

世間の人々は、大きな声では言いませんが、正直、こうしたフェミニストの女性たちを倦厭《けんえん》しています。特に男性は、「何を言われるかわからない」と萎縮し、腫れ物に触るかのように女性を持ち上げざるを得ない状況に置かれています。その結果が、女尊男卑の世の中です。

日本のフェミニストの主張は間違っている

はっきり言わせてもらいます。

日本のフェミニストの方々の主張は間違っています。

多分、この人たちは、潜在意識の中に「男が上で女が下」とか「女性の方が不利な立場に立っている」という考えがあるのでしょう。そして、それを変えようとするのではなく、維持しようとしているのだと思います。そのほうが、女性が優遇され続けますからね。

何度も言うように、日本は、システムとしてはすでに男女平等が出来上がっています。もちろん、それは、男女差別が激しい中で立ち上がり、頑張ってくれた先人がいるからで、そのような人たちには敬意を払いますが、今のフェミニストの方々は、言ってみれば〝棚ぼた〟ではないですか。棚から落ちてきたぼた餅を頬張りながら、わがままになって、さらにぼた餅を要求しているようなものです。

ジェンダー・ギャップ指数のところでも言及しましたが、世界には、まだ女性が戦い続けてその権利を獲得していかなければならない国があります。そうした国には、「自分が社会を変えていかなくてはいけない」という使命感を持って立ち上がった女性もたくさんいるのです。

ですが、日本はすでに、その時代を通り越しています。「だから、もう、ことさら女性の権利を主張しないでもいいじゃないですか」なんて言うと、たちまち袋叩きに遭いそうですが。

いずれにしても、フェミニストの方々には、〝女性〟を利用して訴えても、もはや逆効果であることを、そろそろわかっていただきたい。今の日本は男女平等にチャンスを与えられる社会ですから、女性を特別扱いするほうが失礼です。

その意味では、日本の社会は〝女性〟ばかりをクローズアップしすぎるきらいがあるのも気になります。社会も、メディアも、政治も、女性にスポットライトを当てることで、〝革新的〟であることを安易にアピールできるからでしょうか。ですが、これ、逆に性別にこだわりすぎている感も否めませんし、フェミニストに、必要以上の主張や活動を許すことになってしまうのではないですか。

ピンクが好きな女の子がいてもいい

それからもうひとつ。

フェミニストの方々には、女性の中には、さまざまな思想を持っている人がいることも、忘れないでいただきたい。フェミニストが女性の声を代弁しているなんてことは、ありません。

1985年に男女雇用機会均等法が成立してから、女性も男性と同等の条件で働くことができるようになりました。このこともあって、結婚後も仕事を続ける女性が増えましたが、もちろん、中には、自ら望んで家庭に入る女性もいます。

フェミニストの方々は、専業主婦志向の女性を見ると、「せっかく女性が社会で活躍できる時代なのに、あなたたちみたいなのがいると、女性の足を引っ張ることになる」などと言って、批判します。「専業主婦になりたいだなんて古い思想だ」と斬り捨てたりもします。

私は、こうした人たちを見ると、「あなたのほうがおかしいんじゃないの?」と思ってしまいます。求める幸せの形は人それぞれ。家庭と仕事の両立に喜びを感じる人もいれば、家庭に入って家事と子育てに専念することに幸せを感じる人もいるのです。

いろいろな価値観があっていいのではないですか。専業主婦志向の人を攻撃するなんて、多様性を認めていないということではないですか。

ジェンダーレス、そして多様性を受け入れることの重要性が叫ばれる昨今、「男の子はブルー、女の子はピンク」といった画一的な価値観も払拭されつつあります。

昔は、「男の子色」「女の子色」などと言っていましたが、今は、そうした表現はタブーでしょう。男の子でも「僕はピンクが好き」とためらわずに言える社会の到来は歓迎すべきこと。ですが、女の子が「私はピンクが好き」と言えない世の中にしてはいけないと思うのです。

〝男女格差〟の対義語は〝男女平等〟ではない

男女の効率のいい役割分担が必要

この章では、たびたび「男女平等」という言葉を使ってきました。でも厳密に言えば、男性と女性がまったく同じになることはあり得ません。

だって、男性と女性、そこにはどうしたって性差というものが存在するわけで、これをなくすことはできないから。世の中には勘違いしている人もいますが、「男女格差」の対義語は「男女平等」ではないんです。

大切なのは、男女平等にはならないということを受け入れて、その上で、効率の良い役割分担を考え、お互いを尊重し、支え合っていくということではないでしょうか。また、私は、そんな社会で十分だと思います。

日本の社会に生きていると、「私たちは大変なんだ！」と女性の主張ばかりが目立ちます。それは、日本の男性は文句を言わないし、女性が愚痴を言ったり、一方的な主張をしたりするのを許しているからではないかと。日本人男性は寛大なのでしょうか。

でもね、つらいのは、いつも女性ばかりではないんです。男性にだって性の悩みはあるでしょうし、仕事のストレスだって多いはず。「男もつらいよ」なんですよ。

「女性は大変」「男もつらい」じゃだめ？

昨今、痴漢やセクハラ、性暴力、ＤＶなどに声をあげる女性が増えてきました。昔は泣き寝入りも多かったのでしょうが、今はだんだん違ってきていますよね。反面、男性の被害の声はどれだけすくい上げられているでしょうか。

たとえば、DV被害。DVといえば、女性が被害者で男性が加害者というイメージが強いですが、実際は、逆のパターンも多いと言われています。けれども、男性被害者がなかなか声をあげないのか、被害状況を示すデータがまだないのです。

「えっ？　女性にやられちゃってるわけ⁉」

男性がそうした被害に遭っても声をあげづらいのは、このような世間の無理解な声のせいもあるでしょう。

セクハラもまた、被害者は女性、加害者は男性というイメージがあるけれど、DV同様、絶対に逆のパターンがないはずがありません。実際、性行為を強要されたとして、ある大学の男子学生が女性准教授を訴えたのは、記憶に新しいところです。

女性が男性から被害に遭うと、世の中は深刻に受け止めますよね。ですが、逆のパターンである、このケースが明るみに出たとき、ネット上には「そんなのご褒美じゃん」と茶化すようなコメントもたくさんありました。被害男性からすれば「冗談じゃない！」ですが、こうした世間の声が、男性の被害者が声をあげにくい風潮を、より強くしてしまっていますよね。

ジェンダーレスというと、「私たち女性は大変なんだ」と、ずっと女性が主体となって進められてきましたが、「男もつらいよ」なんですよ。女性は大変、男もつらい。家庭でも社会でも、そうした点をお互いに認めて、理解しあってこそ、本当のジェンダーレスの世の中になるのではないかと思います。

それでLGBTへの理解を示しているつもり？ 世界の動向をちゃんと見て！

ダイバーシティを受け入れると女性用トイレがなくなるの？

2023年2月に完成した東京都渋谷区の公衆トイレが物議をかもしました。

その新しいトイレは、男性用小便器が2つ、男女共用として個室が2つあるというレイアウト。ツイッターでは、「なぜ女子トイレがないの？」と批判の声が殺到しました。

こうした騒ぎを受けて、渋谷区は、「ダイバーシティ（多様性）を受け入れる社会の推進を図る」とした上で、「このトイレには共用トイレ（個室）が2ブースあり、性別に関わらず誰もが快適にご利用いただける環境が整ったものと考えております」とのコメントを発表していますが、これには開いた口が塞がりませんでした。

ただでさえ公衆トイレは犯罪が起きやすい場所なのに、その空間に、普通に男性が入って来られるレイアウトにするなんて、性犯罪や盗撮といったリスクを高めているようなものではないですか⁉ そんなトイレ、女性は怖くて利用できません。公衆トイレは、少しでもリスクを減らすことを考えてつくるべきです。

多様性を重んじて、誰でも——たとえば、トランスジェンダー（※1）の女性など——気兼ねなく使えるようにとの配慮から、個室トイレを「共用」としたのでしょう。その意図もわからなくはないのですが、共用は共用としてあってもいいけれど、女性専用のスペースは絶対に確保する必要があると思います。

渋谷区は2015年、全国に先駆けて「パートナーシップ制度（渋谷区パートナーシップ証明）」（※2）を導入しています。LGBT（※3）への理解や対応に関しては日本の中でも最先端をいっているという自負があるでしょうし、実際、当事者の人たちが集まりやすい自治体でもあるでしょう。そんなこともあって、今回のトイレの発想になったのでしょうが、なんだか、行政が暴走（迷走？）しちゃってる感が拭えません。

多様性を受け入れると言いつつ、女性専用トイレを廃止して女性の安全や権利を脅かすなんて。こんなやり方では、逆に、LGBTへの理解が進まないのではないでしょうか。

日本は遅れているからこそ進んだ世界から学ぶべき

「ＬＧＢＴ理解増進法案（性的指向および性同一性に関する国民の理解増進に関する法律案）」の可決を目指す動きが加速しているとはいえ、性的マイノリティーの人々への理解や国の政策などに関して、日本は後進国です。どうせ遅れているのですから、それを自覚して、世界の先進国から学べばいいのです。というより、むしろそうしていただきたい。

ＬＧＢＴに関して進んでいる国は、いろいろな政策を試して壁にぶつかって——を繰り返し、今、また一周回って原点に戻っているようなところがあるんです。

世界陸連は、トランスジェンダーの女性が国際大会で女子のカテゴリーに出場することを禁止しました。国際水泳連盟は、トランスジェンダー選手が女子のエリートレベルへの競技会に出場することを認めないと決定しています。また、イギリスのラグビーフットボールリーグとラグビーフットボールユニオンは、女性だけが出場する試合に、トランスジェンダー女性が出ることを禁止しています。

※1　身体の性と心の性が一致していない状態にある人のこと
※2　同性婚が法的に認められていない日本において、同性同士のカップルを婚姻に相当する関係と認めて証明書を発行する制度。各自治体によって行われている
※3　レズビアン（Lesbian＝女性同性愛者）、ゲイ（Gay＝男性同性愛者）、バイセクシュアル（Bisexual＝両性愛者）、トランスジェンダー（Transgender）など、性的マイノリティーの総称。クエスチョニング（Questioning＝自らの性のあり方について、枠にとらわれない、わからない者）、あるいはクイア（Queer＝既存の性のカテゴリーに当てはまらない者）を加えて、「ＬＧＢＴＱ」と言われることも多い

最初は、トランスジェンダー選手に理解を示して、「女子競技に参加していいですよ」としたけれど、問題が生じてきた。心が女性であれ、元々の肉体的な性別が男性なのですから、女性と比べて、身体的な能力に差が出てくるわけです。これ、やっぱりフェアじゃないですよね。

このような原点回帰の動きには賛否両論あるようなのですが、ただ、一方で、トランスジェンダー選手の女子の競技会への出場を禁止する代わりに、競技会に「オープン」というカテゴリーを設ける動きも加速。例えば、イギリスのトライアスロン連盟はすでに新設していますし、国際水泳連盟も新設を目指すことを決定しています。

これには私も賛成です。性的マイノリティーの方々を理解するというのは、何でもかんでも一緒にして認めてしまうということではないと思うんです。男性の肉体を持った人が心は女性だからと言って女子更衣室に入ってきたら、女湯に入ってきたら、やはり戸惑う女性のほうが多いはずです。恐怖を覚えるかもしれません。

当事者の方々も、決して、いきすぎた配慮を求めているわけではないと思います。

政府は、行政は、その辺りのことを、よくよく考えて政策を推し進めていくべきでしょう。

第７章（韓流ブーム）

韓流・K–POPは韓国の国策によるゴリ押しの罠

ヨン様に始まった韓流ブームの歴史

影がさす日韓関係の横で

「韓流」という言葉が日本で普通に使われるようになってから久しいです。2020年に新語・流行語大賞にノミネートされた「第4次韓流ブーム」。それは2023年現在もまだ続いています。

今さら説明するまでもないかもしれませんが、「韓流」というのは、韓国文化に基づくカルチャー、人物、流行などを指す言葉。韓流ドラマ、韓流スター、韓流エンタメ、韓流コスメ……。韓国発のものなら、なんでも「韓流」をつければ成り立ちますね。

さて、この韓流。日本で流行するきっかけになったのは、韓国ドラマ『冬のソナタ』(以下冬ソナ)。そう、日本中の熟女を虜にした、あのヨン様(ペ・ヨンジュン)が主演するラブストーリーですね。2003年、NHKがBSで放映して大反響を呼び、翌2004年、地上波でも放送、これをきっかけに日本における初めての韓流ブームに火がつきました。「韓流」という言葉が日本中に広まったのは、このときです。

冬ソナによって巻き起こった第1次韓流ブーム。これを支えていたのは、現在のような若い世代ではなく、ヨン様に夢中になった40代以上の女性が中心です。安倍晋三元首相の妻・昭恵さんも冬ソナの大ファンで、これをきっかけに韓国語を習い始めて韓流びいきになったとか。

冬ソナがブレイクしたのと同じ時期、K－POPグループ「東方神起」も日本での活動を始め、若者の間で人気急上昇。ただ彼らは、J－POP歌手として継続的に活動していくため、このときブームになっていた韓流からは距離を置いて活動していたと言われています。

現在は第4次韓流ブーム

2010年頃になると、K－POPグループが本格的に日本に上陸し始めます。「KARA」「少女時代」「BIGBANG」といった人気グループの、日本メディアへの露出が増えてK－POPは日本にどんどん浸透していきました。

この第2次韓流ブームは2012年頃にはいったん落ち着き、3度目のブームが到来したのは、2016年から翌2017年にかけて。言わずと知れた世界的グループ「BTS」「TWICE」が日本でも知られるようになって、あっという間に人気者になりました。

ドラマやK－POPが支えた、それまでのブームと異なり、この第3次韓流ブームは、従来のドラマや音楽だけでなく、コスメやファッション、グルメなど韓国のポップカルチャーが広まって注目されます。いずれもポップでプチプライスなこともあって、第3次韓流ブームは、

10〜20代の若い世代を中心に巻き起こりました。

そして2020年、第4次韓流ブームが始まります。動画配信サービスの需要が一気に高まり、それらのサービスで配信された『愛の不時着』『梨泰院クラス』などの韓国ドラマがブレイク、映画『パラサイト』もヒットして、韓国エンタメにハマる人が増えました。韓国ラーメンなど自宅で手軽に楽しめる韓国グルメも人気です。これらのブームの形成には、コロナ禍によって多くの人がステイホームを強いられたことが関係しているとみられています。

以上のような第1次、第2次、第3次を経て、今、日本に住む私たちは、第4次韓流ブームの中にいます。

しかし、日本と韓国は、外交上は決して良好な関係とは言えません。第1章でも言及しましたが、韓国は日本の「仮想敵国」とでも言うほどの反日政策を取ってきました。韓国国内には、まだまだ根強い反日感情が渦巻いています。

両国の間で外交的に何かあると、韓国国内ではすぐに日本バッシングの嵐が吹き荒れ、ノージャパン運動（日本製品不買運動）に発展したりします。

それでもなお、日本では繰り返し、韓流ブームが起きている。なんだか不思議じゃないですか。実際、世の中には、そんな疑問を持つ人も少なくないようです。そこで、この章では、そうした謎の裏側について綴っていこうと思います。

韓流ブームは綿密に計算して仕掛けられたものだった!!

韓国では規制されていた日本文化

今でこそ、日本の大衆文化は韓国国内でほぼ解禁になっていますが、ある時期まで、韓国では、日本の映画やドラマを観たり、日本語の楽曲を聴いたりすることはできませんでした。日本が朝鮮半島を統治していた時代のわだかまりもあり、そして、自国の文化を守るためもあり、日本の大衆文化を輸入することが法律で禁止、または厳しく規制されていたのです。

その最中にあった1988年、日本のアイドルグループ「少女隊」が、ソウルオリンピックのイメージソング『Korea』を日本語で歌って韓国内でブレイクしたのは、衝撃的な出来事だったと言われています。

それから10年経って、1998年からは、段階的に日本の大衆文化が解禁されていきました。同年、北野武監督の『HANABI』が上映されましたが、この作品が、戦後初めて韓国の国民に開放された、記念すべき日本映画となったのでした。

こうして、日本のエンタメは韓国で徐々に解禁になっていったわけです。ただ、解禁が公になる以前も、音楽、ドラマ、アニメなどは韓国の若者たちの間で密かに人気があったとか。いずれにしても、エンタメは、日本から韓国への一方通行でした。

韓流ブームは韓国の国家戦略

ところが、あるときから、一方通行が対面通行に変わり始めます。つまり、韓国のエンタメも日本に入ってくるようになったのです。

契機となったのは、2002年に開催された日韓共催のサッカーW杯です。

ちょうどその頃、私は一会社員として、通信カラオケのJOYSOUNDなどで知られる企業の音楽制作部門で働いていました。

あるとき、その会社に、日本政府から「カラオケに韓国の曲をもっと入れるように」という通達が届きました。2001年のことです。翌年に控えたW杯を成功させるためにも、音楽を通して韓国に馴染んで欲しいという韓国側の意向を受けてのことでしょう。

それまでカラオケの韓国語曲といえば、韓国演歌や〝ザ・歌謡曲〟しか入っていなかったところ、通達を受けた会社は、若者にも受け入れられるよう韓国のポップス、いわゆるK－POPを導入することに決めます。

当時、韓国語曲を担当していた私は、リサーチなどのために何度も韓国に出張し、ミュージックショップでCDを買い込むなどして、韓国のポップスを研究していました。

実はこの頃から、韓国は、自国のエンタメを、日本に限らず世界に売り込みたいと画策していました。「韓流」とは、韓国の大衆文化そのものを指すこともあれば、韓国大衆文化の流行を指すこともありますが、後者の意味で使うなら、韓国は国をあげて「韓流」を推し進めてきたと言えるでしょう。言ってみれば、韓流は韓国の国家戦略です。

韓国語曲をもっと入れてくれというカラオケ会社への要請などは戦略としては小さなもので、ドカンと大きく勝負に出たのが、第1次韓流ブームのきっかけにもなった『冬ソナ』です。韓国でもヒットし、上質の映像作品として認められていますが、「たまたまいい作品ができた」ということではなく、この作品が完成したのもまた国家戦略によるものです。

韓国政府は年間100億円もの予算を充て、映画業界への積極的な投資と支援を行ってきました。また、授業料から機材費用まで、すべて国費でまかなう映画アカデミーを運営し、監督をはじめとする映像作品制作に携わる優秀な人材を多く育成しています。

冬ソナは、こうしたバックグラウンドのもと、一流の制作陣を集めて誕生したと言われています。そして日本に売り込み、思惑通りにヒットして、韓流ブームの火付け役となりました。ちなみに、冬ソナは数年遅れでエジプトにも輸出されました。その頃、ちょうど一時帰国した私は、現地で、ヨン様を携帯の待ち受け画面にしている女の子に会いましたよ。

輸出大国のプロモーション活動

「K－POP」「K－FOOD（＝屋台料理）」「K－BEAUTY（＝美容整形やプチプライスのコスメ）」「K－MEDICAL（＝医療手術）」。韓国では、いつの頃からか、「海外に自慢すべき自国の事物」に「K」をつけて、英語で表現するようになりました。

こうした「K－○○」は、韓流を海外に売り込むための、やはり国の戦略でもあるでしょう。当初、日本における韓流ブームは、ドラマの他には、K－POPくらいでしたが、第4次韓流ブームの今では、「韓流」と「K－○○」が日本に溢れていますよね。

これは、韓国政府が練りに練った戦略を展開してきた結果です。

日本に限ったことではなく、韓国が自国のエンタメを海外に売り込む目的は、最初は「韓国を知ってもらいたい」「馴染んでほしい」という意図だったと思います。

韓国は輸出大国です。人口は5000万人ほどで国内マーケットが小さいため、世界に輸出して収益を得ていかなくてはなりません。韓国のコンテンツ産業も同様で、外に活路を見出す必要があったんですね。また、自国のエンタメをアピールすることで韓国という国の存在を認知させ、イメージアップを図ることが、LGやサムスンの家電、ヒョンデ（ヒュンダイから変更）の車などの売上アップにつながることも期待したのでしょう。要するに販売促進。韓流推しは、そのためのプロモーションでもあるんですね。

こうしたプロモーション活動は、他の国でもちょこちょこ行われています。たとえば、一本の映画を他国でヒットさせるために制作会社がお金を使って宣伝をしたり、ひとりのアーティストを売り込んだりするために所属事務所が独自にプロモーション活動をするのは、普通のことです。でも、韓国は特別。

きちんとそのための国家予算を組んで、計画的に自国のコンテンツを海外に輸出しているのです。「輸出」と言うと聞こえはいいですが、実情は、国をあげての計算ずくの「ゴリ押し」なんですね。特に日本に対しては。

韓流に含まれる異なる歴史認識がヤバイ

自国の製品を売るためだけの目的なら、まだいいんです。韓流のゴリ押しが問題なのは、映画やドラマといったコンテンツの場合、その中にプロパガンダが入ってくることです。

たとえば、韓国と日本では歴史認識がまったく異なっています。韓国では、日本が関係する歴史は、自国に都合よく変えられたりしています。それがそのまま、韓国のドラマや映画に反映されているのです。

両国の正しい歴史を知らない、知ろうともしない日本の若い子が見たら、そのまま信じてしまうきらいがあります。これ、ものすごく危険なことです。

韓国は、そこまで計算して、自国のコンテンツをゴリ押しし、日本で韓流ブームをつくりあげている。それなのに、日本は、ゴリゴリ、ゴリゴリ押されて、「はいはい」「はいはい」と受け入れて、そのまま国内で垂れ流し。いいのでしょうか。

韓流ドラマ『シスターズ』は、ベトナムのNetflixで配信停止になりました。ベトナム戦争に関する歪曲した情報が含まれているという理由で、ベトナム政府が配信停止を要請、Netflixがこれを受け入れたためだということです。

日本の女子高生が絶好のカモにされている

韓流ゴリ押しの典型的な手口

ある日のこと、朝、ツイッターを見ていたら、トレンドワードに「韓国インテリア」なる文字を発見しました。

何のことだろうと思ってチェックしたところ、どうやら朝の情報番組が巷のトレンドを紹介するコーナーで、人気の韓国インテリアをレポートしたとのことでした。

木目調のアイテムや観葉植物を使ったナチュラルな雰囲気に、白色を多用したホワイト基調のコーディネート。こんな「上品で可愛らしい」ものが韓国インテリアの基本で、韓国ドラマにも多く登場し、韓国のおしゃれカフェなんかも、この感じらしい。それが日本でも人気ということで、Instagram に続々と投稿されているというではないですか。

伝統的な朝鮮の建築様式であるＨＡＮＯＫ（韓屋《ハノク》）には素敵なデザインもあるけれど、韓国インテリアなんて初耳でした。私がトレンドについていけていないだけなのかな、韓国の家具やインテリアのメーカーが日本に進出したのかな、と思いきや、番組で紹介されたインテリアに使われていたのは、すべてＩＫＥＡの商品でした。

ＩＫＥＡといえば、スウェーデンの家具とインテリアのブランド。独創的なデザインと色使い、そして、リーズナブルな価格設定で、日本でも人気ですよね。

番組では、このＩＫＥＡの家具や雑貨を使って「韓国インテリア」として紹介していたというわけです。それは韓国風インテリアでは……。正直、私は複雑な気持ちになりました。

この日、同じ番組の別のコーナーではバーベキューが特集されていて、そこではサムギョプサルと呼ばれる韓国の豚バラ焼肉が紹介されていたらしい。韓国インテリアにサムギョプサル。ネット上では「どんだけ韓国推しするんだよ」と騒ぎになり、番組のツイッターアカウントには抗議が殺到したということです。

私がなぜ、このエピソードを紹介したかというと、裏に韓国による韓流ゴリ押しの手口がある典型的なケースだと思ったからです。

実際に流行《はや》っているかどうか定かではない韓国インテリアを「人気！」として堂々と紹介し、

さらには、同じ番組で「これでもか」と言わんばかりに「K‐FOOD」を取り上げる。これをゴリ押しと言わずして何と言いましょう⁉

テレビ局や広告代理店に、韓国側からお金が流れた結果だと思います。こうしたやり口は、韓国が国をあげて韓流を売り込む際の常套手段。

テレビ、ラジオ、雑誌など日本のメディアを取り込んで、自国のエンタメを広く紹介させるのは、プロモーションの王道とも言えますが、あまりにも露骨ではないでしょうか。

日本の若い女性は絶好のカモ

インターネットの普及でテレビや雑誌といった従来のメディアが勢いを失い始めた第3次韓流ブームの頃からは、ゴリ押しの手法としてSNSが駆使されるようになり、ターゲットが若い世代に移っていきます。

日本人はブームに乗りやすい。また、欧米の文化よりも身近な文化を取り入れる傾向にある。そんな日本の若者にとって、韓国のファッションやメイクなどは、安くて、手軽で、真似しやすいはず。ということで、日本の若者をターゲットにして、SNSを使った韓流コンテンツのプロモーション活動が展開されるようになったのです。

K‐POPに収まらず、ドラマ、料理、スイーツ、メイク、ファッションなど、韓国の若者文化全般を、日本の若い世代に積極的にアプローチしていきました。チーズが伸びるホットドッグ「チーズタッカルビ」とか、若い女の子たちがよくやっているハンドジェスチャー「指ハート」など、どれだけSNSで見かけたことでしょう。

韓国から日本の若者に向けて送られたコンテンツはたくさんありましたが、韓国のプロモーションがすごいのは、韓国文化全般を日本の女子高生が「おしゃれ」「かわいい」と言って取り入れ楽しんでいる、と、テレビだけではなく、InstagramやYouTubeなどのSNSを使って発信し、さらに盛り上げていたことです。

今流行っていることに飛びつく日本の若者の傾向をよくわかっていますよね。

韓国ファッション、韓国コスメ、韓国スイーツなどのコンテンツは、どれもプチプライスです。若者からすれば、安さは重要なポイント。気軽に取り入れて楽しみやすいということです。

韓流ブームの仕掛け人、つまり韓国側は、女子高生と韓国の若者、文化の関係性を緻密に計算した上でマーケティングを行い、推しのコンテンツを定めていったのでしょう。

女子高生をターゲットにすれば、長いスパンで愛されなくとも、瞬発的なブームを次々とつくっていくことができます。一瞬のブームであっても、実体があれば「今、ブーム！」と、メディアで取り上げることもできて、相乗効果を生むことは、十分に期待できます。

ゴリ押しのターゲットになった日本の女の子たちは、政治や歴史問題に興味もなければ、ニュースも見ない。いいのか悪いのか、韓国に対してまったく先入観がないわけで、日韓関係がどんな状況にあろうとも、「かわいい」「かっこいい」「イケてる」とゴリ押しされれば、すんなり受け入れてしまう。

２０１９年、「史上最悪か」と指摘されるくらい日韓関係はこじれにこじれていました。韓国国内では日本製品の不買運動なども起きて、反日、嫌日ムードが今までにないくらい高まっていました。そうした現状を知れば知るほど、韓国のことが嫌になるのは自然なこと。相手に敵対されているのに、こちらが相手を「好き」と言うほうが不思議です。

しかし、彼女たちは、現実を知らないのか、知っても理解できないのか、ずっと「韓国大好き！」のスタンスを貫いていました。完全にゴリ押しの罠に掛かってしまっています。韓国にとって、日本の若い女性は絶好のカモというわけなんですね。

韓国の国家予算に組み込まれたゴリ押し費用

予算３２９億円でプロモーション活動

韓国には、自国コンテンツ輸出のサポートを担当する「韓国コンテンツ振興院」という機関があります。

コンテンツ大国となることを目的として設立された文化体育観光部の傘下の特殊法人で、東京、北京、深圳《シンセン》、ロサンゼルス、パリ、モスクワ、ジャカルタ、バンコク、ハノイ、アブダビに拠点を置いています。

コンテンツの創作、流通、制作インフラから優秀な人材の育成、メンタルヘルスケアまで、多岐にわたってコンテンツ産業を後方支援するこの振興院の予算は、2019年度には日本円にして329億円でした。

もちろん、自国をアピールするプロモーション活動は、何も韓国に限ったことではありません。日本でも、「クールジャパン戦略」を内閣府が打ち出しています。

アニメ、マンガ、ゲームなどのコンテンツ、ファッション、食、伝統文化、デザイン、ロボットや環境技術など、外国人が見て「クール」と感じる日本固有の魅力を、情報発信したり、海外へ展開したりして世界の需要を掘り起こし、日本経済の成長につなげるブランド戦略です。

この戦略の日本の予算は、2019年度では170億円でした。韓国振興院よりもはるかに少ない額ですが、それでも、日本は十分に海外から認知されています。東京オリンピックを控えたコロナ禍前の日本には、外国からの観光客が押し寄せていましたよね。

その点、韓国は「知ってもらう」「認めてもらう」というところから始めなくてはなりません。他の国の一般的な広報活動とは異なり、イメージ戦略が必須です。当然、すでに海外から認知されている日本なんかよりも、たくさんの予算が必要になってくるというわけです。

このうちのいくばくかは、〝日本への韓流ゴリ押し〟のために使われているのでしょう。

韓国お得意の「国際世論戦」

それだけならまだしも。

韓国は昔から「国際世論戦」に長けていると言われます。要するに、さまざまな局面で世論を操作し、国際社会で自国が有利になる流れをつくっていくということですね。

たとえば、2019年8月29日付「中央日報日本語版」によると、「政策公共外交予算」として、2020年度には約6億3000万円が分配されています。2019年度の2・6倍になっています。増額の理由として、2020年に行われるアメリカ大統領選に向け、ワシントンで世論戦を仕掛けるためだったと指摘する専門家もいました。

日本に対しては、特別に「対日外交強化予算」という名目で国の予算が組まれています。「韓日新時代複合ネットワーク構築事業」という名目で、「日本にある韓国公館が講演会などを開くための予算」ということですが、実はこれ、早い話、「対日世論工作費」。

2020年度には、前年の3・3倍、約4億5000万円の予算が計上されています。前年の2019年は、日韓関係がこれまでにないくらいこじれた年。予算が増額されたのは、日本の輸出規制とホワイト国除外施行に関連し、日本国内の世論に対応するためということでした。

駐日韓国大使も、「日本国内の嫌韓・反韓世論を解消するため、日本の財界やマスコミに韓国を売り込む」などと発言しています。

日本の政治家やメディア、識者の中には、韓国を持ち上げる発言を繰り返す人も少なくありません。韓国に対日世論工作費というものが存在する限り、彼らの懐に、その一部が流れていると思われても不思議ではないですよね。

韓流にしても、お金を払って、テレビの情報番組などに取り上げてもらうばかりか、さまざまな分野の専門家や芸能のコメンテーター、最近ならSNS上で活躍するインフルエンサーなどにも、少しでも韓流の何かを紹介してもらうよう働きかけていたのです。

一時期、どのメディアでも同じコンテンツを持ち上げていて、「いかにもゴリ押し」という気がしていましたが、このような工作によるものだったのでしょう。

SNSを駆使したあくどい手口

#を使って意図的なトレンド化

第3次韓流ブームの頃から、韓流ゴリ押しにSNSを駆使するようになったことは、既述しました。そのこと自体は、時代を考えれば、ごく自然なことです。テレビは観ない、新聞も雑誌も読まないデジタルネイティブの若い世代への訴求にＳＮＳを使った活動を展開するのは、今や常識でしょう。しかも安価に効率良い効果が期待できるようです。

たとえば、「ハッシュタグ戦法」と呼ばれるやり方。

ツイッターでは、同じテーマのツイートには、「＃（ハッシュタグ）」が付けられます。ハッシュタグ化されたキーワードの中でもトレンドになっているものはリスト化され、ユーザーに通知されるようになっています。リストの内容はユーザーの興味や現在地などによって異なりますが、いずれにしろ、リストを見れば、今、何が新しく、タイムリーで、人気があるかがわかるわけですね。

いったんリスト化されたトピックは、多くの人に存在が知らされ、注目度や人気度がさらに上がっていくことになります。つまり、このリストの存在によってトレンドは増幅されるということです。

この仕組みを利用すれば、意図的なトレンド化も不可能ではありません。まったく人気のないトピックを、いかにも人気があるように見せかけて、人々の感情をあおる。元々誰も注目していないようなトピックに多くの人の注意を向けさせることができれば、そのトピックをトレンド入りさせることが可能なんですね。

企業にしても、政府にしても、多くの人の注目を集めて、自社製品の売り上げを伸ばしたり、世論を味方にしたりしたいと願うでしょう。そんなとき、このハッシュタグ戦法が用いられることは珍しくありません。自国のコンテンツを売り込むために、多額の予算を充てている韓国にしても、当然、この手法を駆使しているはずです。

K－POP動画が貼り付けられた人種差別反対のツイート

ハッシュタグ戦法を展開すること自体はいいんです。ただ、そのやり方によっては、仕掛けた側の良識を問われても仕方がありません。

一時期、ツイッターのリストで上位にランクインしたワードを手繰っていくと、そのリプ欄に、まったく関係のないＫ－ＰＯＰのミニ動画が貼り付けられていることが、しょっちゅうありました。

いわゆる〝スパムツイート〟と呼ばれるものですね。

たとえば、リストの中に「フィフィ怒る」のワードがあったとして、「何、これ？」と思ってタップすると、「フィフィ怒る」にはまったく関係のないＫ－ＰＯＰの動画が出てくるわけです。これ、一度や二度のレベルではないんです。ネット上でも「うざい」と悪評が立っていたことがあります。

これに関しては、以前、イギリスのガーディアン紙でも「トレンドがＫ－ＰＯＰに乗っ取られている」と報じられました。アメリカ発の黒人差別反対運動のスローガン「ブラック・ライブズ・マター」運動（※）が世界的な広がりを見せていたとき、K－POPの動画が貼り付けられた人種差別反対のツイートが大量に発信されていたのです。

これ、K－POPの熱狂的なファンの仕業だという説もあります。確かに、自分が推すアーティストを多くの人に知ってもらいたい、もっと人気者になって欲しいというファン心理から、結果的によからぬことをしている人もいるでしょう。彼ら、彼女らにしてみれば、悪気のない〝布教活動〟のようなものですよね。もちろん、いい迷惑には違いないですが。

しかし、このK－POP動画貼り付け案件は、プロによる仕業との見方が大多数。捨てアカウントを大量につくって、スマホをずらりと並べた空間で、人海戦術で、リアルタイムで、次々と関係のない動画を貼り付けて発信する。

その工作を請け負う業者もあるようで、お金さえ払えば、誰でも依頼できるとか。業者はペルーをはじめとする南米に多いらしく、K－POP動画貼り付けの迷惑行為も、南米から発信されていたのではないかと見られています。

結局、この悪質な迷惑行為は、ツイッター側からアカウントを停止されることでストップしましたが、この裏工作もまた、韓国が国として業者にやらせ、国費からその代金が出ていたと思うと、驚くやら、呆れるやらで……。

BTSは国策でスーパースターに仕立て上げられた？

お金で買われた音楽ランキング1位

不正工作が行われているのではないか――。

K－POPの楽曲のランキングについて、もう随分と前からこうした疑惑が囁かれていました。これは韓国に限らず、日本でも昔から言われていることで、大手芸能事務所の力が働いている、とか、お金で音楽賞を買った、などのウワサは絶えることがありません。こうしたことは、どこの国の音楽業界でも行われていることなのかもしれないですね。

2020年1月、韓国のテレビ局SBSが、音楽配信チャートの不正工作について検証を行う番組を放送しました。その2年前、K－POPの2つのグループが競っていたのですが、1位になったのは、知名度が低いほうのグループ。チケットが売れずコンサートが中止になるほ

※アメリカのフロリダ州で、2012年2月アフリカ系アメリカ人の高校生を不審者として射殺した自警団の男性が、正当防衛を認められて釈放された事件をきっかけに起きた黒人差別反対運動のこと

ど人気のないグループが、なぜ1位になれたのか。それを検証するという番組でした。

検証の結果、明らかになったのは、「不正工作があった」という事実。簡単に言うと、ランキングをお金で買ったということでした。その額は3000万円。

知名度が低かったほうのグループは、このお金と引き換えに、韓国国内の音楽配信チャートで1位の座を手に入れたのです。

このケースでは、事務所がお金を出したのでしょう。もちろん、誰がお金を出そうが、不正工作はよくありません。韓国の場合は、こうしたチャートの不正が、国策として、国の予算を使って、海外でも行われていると噂されています。もし本当だとしたら、大問題です。

韓国政府はBTS一点推し?

K－POPの不正疑惑が、ことさら大きく騒がれ出したのは、2018年、BTSが全米のビルボードチャートで1位を獲得したときでした。

ビルボードチャートは、世界で最も権威を持ち、アメリカ国内だけでなく、世界中の音楽業界、アーティストに影響を与えるチャートだと言われています。そこでK－POPのグループが1位に輝いたのは、史上初のことでした。

このとき韓国国内では、メンバーの兵役延期のために事務所が不正工作をしたのではないか、という噂も立っていました。韓国には徴兵制度があり、国民の男性すべてに兵役義務が課されています。

多くは、20歳前後で実際に兵役に就くことになるようですが、芸能人やスポーツ選手など特別な分野で活躍している場合、延期申請をして認められれば、兵役を免除されることもあるようです。そこで、「BTSはすごい！　だから兵役も免除」となるよう、事務所が画策をしたのではないかと。実際のところはわかりませんが。

チャートで1位になったとき、BTSはアメリカでどれくらい認知されていたのか。すでに高い知名度があったというデータは存在しているようです。けれども、他のK－POPのアーティストの知名度は低いのに、BTSだけが突出しているのは、かえって不自然という指摘もありました。韓国が国として海外にゴリ押しするK－POPを、BTSに絞っているのではないかという疑念が生まれたのです。

日本でも、音楽チャートではBTSが常に上位を占めている時期がありましたよね。テレビをつければ、情報番組などでは必ず彼らの情報が挟まれる。BTS、BTS、BTS——。彼らの話題を耳にしない日はなかったと言っても過言ではありません。

「K－POPって何？」というような人でさえも、「韓国のBTSというグループはそんなに人気があるのか。そんなにすごいのか」と思ってしまいますよね。これこそが、韓国政府による韓流ゴリ押しなんですよ！

ラジオＤＪが暴露した韓国大使館の依頼

あるとき、南米コロンビアから、おもしろいニュースが飛び込んできました。

あるＤＪが自分の担当するラジオ番組でＢＴＳの楽曲を流したのですが、その前置きが韓国サイドの逆鱗に触れたというのです。

「今日は、なんだかよく知らないＢＴＳというグループの曲を流します。韓国のグループで自分も初めて聴いたんだけど」

と、ここまではまだ良かったのだけれど、次に続けた言葉がまずかった。

「韓国の大使館からラジオ局のほうに直接、依頼があったんだよね。これ、オンエア中に流すようにって」

そうなんです、暴露してしまったんです。韓国側は烈火のごとく怒り、ラジオ局に謝罪を要求。件のＤＪは、翌週、「謝りま〜す。ごめんなさ〜い」などとふざけた謝罪をして、この一件を終わりにしたそうです。

このニュースを知って、笑ってしまうと同時に、私を含めた多くの人が「やっぱりＢＴＳ推しは韓国の国策だ」と確信したのではないでしょうか。ＳＮＳなどでは、このＤＪを批判する声もかなりあったようですが、これには、「ＶＡＮＫ（Voluntary Agency Network of Korea）」が関与したのではないかと見られています。

ＶＡＮＫとは、〝韓国の正しい姿〟を世界に広めるために、インターネットなどを介して情報宣伝工作活動を行う組織。過激な活動で知られていて、日本に対しても、何かというと世論工作を仕掛けてきます。たとえば、日韓関係がギクシャクすると、日本をコケにするような情報をうわっと一気に流してみたり。

ハーバード大学のJ・マーク・ラムザイヤー教授が、日本軍の慰安婦に関する論文の中で、「慰安婦は性奴隷にあらず」といった見解を示した際には、「あんな奴を教授として使うな！」という攻撃と批判をネット上で展開しました。

VANKは民間組織で、運営は会員から徴収する会費でまかなっているといいますが、韓国政府からもお金が出ていることを、組織側も認めています。韓国は、あの手この手で世論工作を行っているということですね。

K-POPスーパーアイドルの光と影

報道の水増し

BTSの楽曲『Dynamite』がヒットしているとき、音楽配信サービスでの再生数が水増しされていると、2020年8月31日付「東亜日報（デジタル版）」に掲載されて話題になりました。

再生水増しの手口は、アメリカのメディア「バズフィード日本語版」の2018年10月25日に公開された記事でも報じられています。それによると、音楽配信サービスのスポティファイの有料アカウントを大量に作り、一斉に再生させ続けるらしい。1000万円も支払えば、その工作を請け負ってくれる業者があるとの噂も飛び交っていました。この手口が『Dynamite』の水増しに使われたかどうかはわかりませんが、そういう手法は実際に存在するようなのです。

また、日本の雑誌「アエラ」のデジタル版「AERA dot.」（2021年7月18日配信）では、「写真集もバカ売れ！BTS日本人気は偶然じゃない『マイケル・ジャクソンと並ぶ存在』」という見出しで、BTSの躍進が報じられています。ここまでの提灯記事が出てしまうと、「逆に馬鹿にしているの？」と思ってしまうのは、私だけでしょうか。

アーティストに罪はありません。でも、あまりに持ち上げすぎると、批判の矛先がアーティスト自身に向けられたりはしないのでしょうか。気の毒です。

そこまでBTSに人気があるのなら、ゴリ押ししたり、無理に持ち上げたりする必要はありません。日韓関係が悪化しているときの、こうした行為は、異常としか思えません。才能のあるアーティストがいい楽曲を歌えば、おかしな工作をしなくても、実力でヒットするはずです。

THAAD配備によって中国市場を失った韓国

ＢＴＳは世界中で大人気という報道を目にすると、Ｋ－ＰＯＰ全体が世界でポピュラーなのかと思ってしまいます。でも、実は、Ｋ－ＰＯＰコンテンツの海外売上の半分以上、65・1％は、日本のマーケットが占めています。

韓国としては、隣に中国という、日本よりはるかに大きなマーケットが控えているのだから、当然、そちらでも勝負に出たかったはずです。ところが、中国では韓流コンテンツの規制が強化されていて、もちろんＫ－ＰＯＰもその対象。前にも触れましたが、２０１６年７月、韓国が朴槿恵大統領在任中に在韓米軍基地へのＴＨＡＡＤ配備を決定しました。これを受け、中国は、映画館での韓国映画の上映を禁止したり、韓流スターのメディア露出を規制したりするなど、韓流コンテンツを厳しく制限し始めたのです。こうした「限韓令」は、中国の事実上の報復措置とされています。

こういうわけで、とにかく、韓国は中国という大きなマーケットを失ってしまいました。韓国としては、それまでＫ－ＰＯＰをはじめとする韓流をプッシュするのにお金をかけてきたのですから、このまま黙っているわけにはいきません。中国がダメなら日本で稼がせてもらう、とばかりに、日本に対してＫ－ＰＯＰなど韓流のゴリ押しをどんどん強化していったのです。

国策としてプロパガンダの象徴にされたBTS

Ｋ－ＰＯＰの中でも、特に力が（お金が）注がれたのがＢＴＳなのですが、客観的に見ると、彼らは非常に気の毒な気がしてなりません。

たとえば、韓国では、次から次へと似たようなアイドルグループが出てきては消えて行きます。この理由のひとつは、兵役です。せっかく売れていたとしても、約1年半の兵役義務を果たして戻ってくる頃には、世間からは忘れられている可能性がある。韓国の芸能界では、これを見越して、次々とアイドルグループを誕生させ、いわば〝使い捨て〟にしてしまうわけです。

ところが、ＢＴＳに関しては、例外でした。

韓国は国家プロジェクトとして、膨大なお金をかけて、いちアイドルグループを推してきたのです。政府としては、その費用を回収したい。さらにはもっと稼ぎたい。おいそれと兵役に行かせるわけにはいきません。

「それでグループが終わってしまったら、これまでの出費はどうなるんだ」ということで、初めて議論が巻き起こり、国会でも審議されました。世論調査も行われ、およそ60％がＢＴＳの兵役免除に賛成したとか。当の本人たちは、「兵役に応じる」と意思表示をしていましたが、こうなってくると、兵役義務がある他の国民にとっては、「なんであいつらだけ？」と不公平感が半端ない。ＢＴＳのメンバーは、板ばさみですよね。

彼らのうちのひとりが原爆を肯定するＴシャツを着ていたことがあって、ネット上で「反日だ」などと批判が集中したことがありました。「独島は我が領土」という韓国のプロパガンダ・ソングを歌ってTikTokにアップしたりもしています。

彼らにとって日本は大きなマーケットですよね。自分たちでもよくわかっていると思うんです。わかっていて、わざわざ反日パフォーマンスをするでしょうか。不可解です。

政府の意向で、日本のファンをがっかりさせるようなことを、日本でたまにやらされて、日本人から叩かれて、スッキリしない気持ちのまま母国に帰ると、今度は「日本なんかに媚びてるんじゃないよ」などと同胞からバッシングされる――。

これ、どう考えてもつらすぎます。彼らは、国によって政治的な活動に利用されていたとしか思えません。

実際、文在寅政権は、外交の場にBTSをたびたび引っ張り出していました。当時の文大統領と一緒に写った写真もたくさん公開されていますしね。政治的なパフォーマンスをすることは、本人たちも嫌だろうし、ファンも戸惑います。本人たちの葛藤、苦痛は、察するに余りあります。

2022年6月、YouTubeの公式チャンネルで、彼ら7人は座談会をしながら、グループとしての活動休止を発表しました（その後、所属事務所は慌てて否定）。「多忙で方向性を失った」「自分たちがどんなグループなのかわからなくなった」などとメンバーが涙ぐみながら語ったことが印象的でした。

その2週間ほど前、彼らは、アジア・太平洋諸島系アメリカ人へのヘイトクライム問題の意見交換をするためにホワイトハウスを訪れ、バイデン大統領と面会していました。2021年には国連総会での演説パフォーマンスもしています。

していた、というより、させられた、と言ったほうが正しいでしょうか。社会主義国でもあるまいし、アイドルまでも国策として、国のプロパガンダに利用するような活動をさせるのは、あまりにも酷。こうした政治的パフォーマンスをすることに、彼らは限界を感じていたのではないでしょうか。バイデン大統領との面会から時を経ずして、あのような発表をしたのは、そういうことではないかと。ちょうど文在寅政権が終わったときでもありました。偶然のタイミングとは思えません。

BTSメンバーの葛藤や苦しみは、国策が生んだ悲劇としか言いようがありません。

世界での韓流ゴリ押しは功を奏しているのか

韓国で反日運動の嵐の中、日本では韓流ゴリ押しの違和感

この韓流ゴリ押しに、韓国が膨大なお金をかけていることは前にも書きました。さて、その効果は出ているのでしょうか。

確かに、既述したように、日韓関係が悪化している最中でも「韓国大好き」と言ってはばからず、韓国メイクやファッションを取り入れ、韓国グルメを食べ歩き、コロナ禍での渡航制限が緩和されるとすぐに韓国旅行に出かける若い女性は、かなりの数に上るでしょう。

彼女たちが取り入れるものは、プチプライス品がほとんどですが、それでも、韓国コンテンツにとって、彼女たちが重要なマーケットであることは確かです。

そう考えると、韓国にとって、ゴリ押しの効果がまったくないとは言いません。しかし、人は、あまりに押し付けられると、お腹いっぱいになって辟易するどころか、アレルギーを起こして、拒否反応を示すようになってしまいます。もうずいぶん前のことになりますが、某テレビ局の韓流ドラマだらけの編成方針にうんざりする声があがったこともあります。

今も、NHKでは韓流ドラマを放送しています。最悪とも言える日韓関係の中で、公共の電波を使って相手方のコンテンツを垂れ流し。これ、いかがなものでしょうか。

2022年大晦日の紅白歌合戦はひどかったですよね。韓国出身のグループが5組も登場したのですから。しかも、そのうちの2組はデビューしてから1年前後。「誰それ?」と思った人も多いことでしょう。紅白への出場歌手が発表されたのは、2022年11月16日でしたが、韓国枠の多さにうんざりしたのか、韓流ゴリ押しに嫌悪感を覚えたのか、はたまた知らないグループばかりで一気に興味を失ったのか、とにかく、その日、「#紅白見ない」がトレンド入りしたほどです。

それでも、日韓関係が良好なときなら、ゴリ押ししても、まだいいです。

2019年7月、半導体素材3品目に対する日本政府の対韓輸出規制をきっかけに、韓国では「ノージャパン運動」（日本製品不買運動）が爆発的に盛り上がりました。

それなのに同じ時期、文在寅政権は、日本に対して韓流推しを強化したんですね。

日韓関係が冷え切っているときに、韓国の文化をゴリ押しされて、日本の人たちが不快感を持つのは当然でしょう。嫌悪感が増してくるだけです。実際、韓国を訪れる日本人は減少しました。いくら「韓国の食べ物おいしいですよ、コスメも安くておしゃれですよ」と言われても、ノージャパンで盛り上がっている国には行きたくないというのが、多くの人の心理ではないでしょうか。

日韓の歴史や政治に興味のない若い子たちなら、何も考えずに訪韓するかもしれません。「K－POPがすごいよ、ファッションもかわいいよ、韓国って今、キラキラなんだよ」と、ひとつの側面からだけ見た韓国文化の情報を流す。これって、洗脳なのでは？　今、あの国で何が起きていて、両国の関係はどうなっているのか。ちゃんと教えるのは、日本のメディアの役割かもしれません。

エジプトでは作戦失敗？　男の化粧には嫌悪感

冬ソナがエジプトでも放送されていたことは、すでにお話ししましたよね。この頃、Ｋ－ＰＯＰもちょろちょろ紹介されていたように思います。そして、エジプトの家電量販店には、サムスンの白物家電がズラッと並んでいました。

２０１１年にエジプト革命があり、暫定政権ができたばかりのころです。革命時、日本企業が現地に駐在する社員をすべて引き揚げたせいで、家電量販店からは日本製品も姿を消し、「今がチャンス！」とばかりに、中国や韓国は自国の製品を売りに押し寄せました。

私は、ちょうどそのタイミングで母国に帰国したのですが、韓国製の家電売り場には、Ｋ－ＰＯＰアイドルの写真が載ったポップが掲げられていました。これも韓国の戦略です。

その頃、Ｋ－ＰＯＰもエジプトに入りつつありましたから、そのポップを見て、「この人、知ってる」とお客さんに思ってもらえれば、その製品にも親しみを感じてもらえて購買につながる——という狙いです。

しかし、韓国側の思惑は外れてしまったようです。ポップに載っているＫ－ＰＯＰのアイドル男性は、メイクをしていました。それはエジプト人にとって違和感以外の何物でもありませんでした。「なんで男が化粧をするんだ⁉」と嫌悪感すら覚えた人もいるようで。文化の違いを考えなかった韓国の作戦負け、というところでしょうか。

サムスンの他、エジプトにはヒョンデの車も入ってきています。車のほうは、日本製に比べるとリーズナブルという理由で、一時期、ヒョンデがトヨタやホンダを凌駕しているかのように見えましたが、今は、円安の影響で日本車が大人気。そして、家電も日本製が飛ぶように売れているとか。「いいものを安く買う」。これは世界に共通した価値観のようですね。

結局、韓国の、対エジプト韓流推しの効果もイマイチだった⁉

第８章（カルト宗教と政教分離）

日本に蔓延るカルト宗教をなぜ野放しにするのか？

銃撃事件で浮き彫りになった政界の深くて深刻な闇

安倍晋三銃撃事件

２０２２年７月８日、日本はお昼すぎからたいへんな騒ぎになりました。目前に控えた参院選の立候補者の応援演説中、安倍晋三元首相が凶弾に倒れたのです。そのニュースはすぐさま日本中を駆け巡り、当初、メディアは「民主主義への挑戦」と騒ぎ立てましたが、事件の背景が明らかになるにつれ、「民主主義への挑戦」の一言では片づけられない、深刻な問題が浮き彫りになってきましたよね。

逮捕された容疑者の動機として、宗教法人「世界平和統一家庭連合（旧統一教会）」への恨みが浮上し、その後の展開については読者のみなさんもご存知かと思います。

テレビの報道では当初、「ある特定の宗教団体」という言い方で名前を出さず、途中から「旧統一教会」として伝えるようになった局もありました。

そのときは、「情報が錯綜しているのかな」とも思っていたのですが、事件の背景にある問題が次々と明らかになってくると、局によっては「忖度が働いていたのではないか」と感じるようにもなりました。だってもう、裏でいろいろな糸が絡み合っているんです。

旧統一教会を野放しにしていたのは誰の責任？

銃撃事件の犯人が旧統一教会に恨みを持っていたと供述したことから、この事件で「旧統一教会」が一気にクローズアップされました。

旧統一教会といえば、30年ほど前に合同結婚式の騒動で話題になりました。信者数万人がソウルのオリンピックスタジアムに集まり、教祖が決めた相手と一斉に挙式するという儀式。日本からも芸能人や有名スポーツ選手が参加するということで、随分と注目されました。

その頃から、霊感商法をはじめとする旧統一教会の問題は報じられてはいました。安倍元首相を銃撃した犯人の母親が1億円もの献金をしていたことが報道されましたが、旧統一教会は、このように信者に多額の献金をさせるほか、人の弱みや信仰心につけ込んで高額な印鑑や壺などを買わせる霊感商法も組織的に行ってきたのです。

１９８７年には、全国の弁護士約３００名が集まって、「全国霊感商法対策弁護士連絡会」が結成され、今でも被害者の救済活動を続けています。弁護士連絡会によると、２０２１年12月までの34年間に、この会に属する弁護士や消費者生活センターに寄せられた旧統一教会に関する相談は、３万４５３７件。その被害総額は約１２３７億円にもなります。

これだけ長い間、大々的に問題を起こす宗教団体は珍しいらしく、しかも、１２３７億円は氷山の一角。あくまで弁護士などが把握している被害で、まだ訴えていない人も大勢いるとか。実際の被害額は、今把握できている額の10倍くらいになると見られています。

教団側は、「2009年以降、コンプライアンスを強化しているため、トラブルはない」と会見で主張しました。2009年、教団の関連会社が「先祖の因縁がある。このままでは家族が不幸になる」などと不安をあおって高額の印鑑を売りつけて社長ら7人が逮捕され、うち2人に有罪判決が下されました。これを機にコンプライアンスを強化した、ということでしょう。

しかし、実際には問題だらけ。安倍元首相の銃撃事件をきっかけに、旧統一教会のブラックぶりが、どんどん表に出てきましたよね。こんな、もはや「宗教団体」とは呼べない、呼んではいけない「詐欺集団」が野放しにされていたなんて！　これはもう、日本の政府の責任です。

旧統一教会とズブズブの政治家たち

「反省しているとはとうてい思えない」

教団側のコンプライアンス強化発言を受け、弁護士連絡会は、このように主張しています。それを裏付けるものが、教団の機関紙の中に残されてもいます。

「統一教会が警察の摘発を受けたのは、政治家との絆が弱かったからだ。今後は政治家とつながっていかなければいけない」

当時の教団の責任者が、機関紙に投稿した文章の中で、このようなことを書いているのです。

旧統一教会は、一致団結してこの決意を実行に移したのでしょうか。銃撃事件をきっかけに、これでもか、これでもか——と、政治家と教団のつながりが明るみに出ました。

外国人の私が今さら言うまでもないことかもしれませんが、日本国憲法には「政教分離」のルールが定められていますよね。しかし、政治と宗教が分離しているとは思えない事実が次々と白日のもとに晒されました。

教団側とつながりがあるとして、早くから名前があがっている政治家もいました。その人は槍玉にあげられ、釈明に追われる姿がメディアでたびたび紹介されていました。また、何度も教団関連の会合に出席していたということで、ついに辞任に追い込まれた大臣もいましたよね。

その後、自民党が、旧統一教会と党所属国会議員の関わりについての調査結果を公表。それによると、衆参両院の所属議員全379名から回答を得て、教団側と何らかの接点があったのは、半数近くの170名(追加報告で180名に)。旧統一教会と特に関わりが深いと思われる121名については名前が公表されましたが、その中に、すでに報道されている議員の名前が含まれていないことも問題になりました(追加報告で言及があり125名に)。

他の調査では、立憲民主党や国民民主党など、自民党以外の国会議員の、旧統一教会との接点も明らかになっています。

さらに、前国家公安委員長も旧統一教会との関係を認めましたよね。旧統一教会の関連団体が主催したイベントで、実行委員長を務めていたという。政治家と旧統一教会との関係がクローズアップされる中、よりによって、警察組織を管理する立場にある国家公安委員長までも！　安倍元首相の銃撃事件の初期の報道で「旧統一教会」の名が伏せられたのは、こんなにもたくさんの要人が絡んでいたからなのか。忖度だったのか、圧力だったのか、どっちだかはわからないけれど、とにかく、「そういうことだったのか！」と思わずにはいられません。

カルト教団の野放しは政治の圧力だった⁉

信者に多額の献金をさせたり、高額な壺を買わせたりする霊感商法でお金を巻き上げる旧統一教会の悪質な手口は、今となっては広く知られています。しかし、この集団の悪徳ぶりはそれだけではありません。お金が底をついた信者には、金融機関でお金を借りる方法や、その後に破産する方法までレクチャーすることも、関係者の口から暴露されています。

旧統一教会のこうした強引なやり方は、他の国ではほとんど行われていないといいます。それはそうでしょう。そうした行為は犯罪です。犯罪を起こすような団体は国から追放されます。ですから、普通はできません。では、なぜ、日本でだけ？

ここに、日本の闇があるのです。

旧統一教会の日本での活動では、既述したようにトラブルが多く、ずっと以前から、弁護士団体が訴え続けてきました。政府側にも働きかけをしていたといいます。

しかし、日本ではずっと放置されてきました。旧統一教会をカルト集団に指定し、マークしている国もあるというのに、この国ではやりたい放題やらせていたのです。

「かつて警察組織は、〝オウムの次は統一教会だ〟と言っていたのに、それがなくなった。こうした動きがなくなったのは、政治の圧力が働いたからだ」

長年、旧統一教会を追っているジャーナリストの有田芳生さんは、報道番組でこのように話していました。この発言に、スタジオはシーンとなったらしい。だいたい、あれだけのテロ事件を起こしたオウム真理教に「破防法（破壊活動防止法）」が適用されなかったこと自体、「日本って変よね」と思いますけど。

ちなみに、破防法というのは、暴力主義的な破壊活動を行った団体に対し、規制措置を定めるとともに、その活動に関する刑罰を定めた法律のことです。これ、「オウムに適用しないでどこにするの⁉」なんですけどね。このときも何かの〝力〟が働いたの？

政府が警察の捜査に圧力をかけた

旧統一教会が政治の圧力によって野放しにされていたのは、この団体が取り締まられるようなことにでもなれば、たちまち政治家が困ってしまうからです。

自民党の国会議員の半数近くが何らかの形で旧統一教会と関わりがあったことは前に触れましたが、その中には、選挙でボランティア支援を受けたことのある議員も少なからずいます。

日本の選挙には巨額のお金と人手が必要です。選挙運動では、選挙カーの運転手や車上運動員、選挙に関するイベントの裏方、広報物の製作担当、街頭での投票呼びかけ要員など、人手が欠かせないのです。運転手や車上運動員はお金を払って雇えますが、それ以外は、基本的に報酬を支払うことが禁じられています。

となると、選挙運動を有利に展開していくためには、いかに多くの選挙ボランティアを確保するかがカギとなる。運転手や車上運動員の仕事もボランティアにやってもらえば、お金も浮くわけです。

そこで浮上するのが、旧統一教会。信者なら、教団から指示されれば、いくらでもボランティア支援をしてくれる。これは、政治家にとって大きなメリットだったでしょう。

一方、教団側にとってのメリットは、政治家の選挙をバックアップすることで、霊感商法のような詐欺まがいの活動をしても見逃してもらえること。他にもきっとさまざまな便宜を図ってもらったことでしょう。実際、教団の被害者を支援する弁護団が、どれだけ政府側に訴えても、旧統一教会に捜査のメスが入ることはなかったそうです。

旧統一教会を取り締まる必要があるとして、警察は動こうとしていたのに、政府が圧力で抑えたという。その背景には、歴代の国家公安委員長が、旧統一教会と関わっていたから、という話もあります。前国家公安委員長が、旧統一教会との関わりを自ら認めたことは既述しましたよね。

犯罪を取り締まるべき側の組織が、こうしたカルト集団と関わりがあるなんて、本当に恐ろしくなります。これでは国民の安全が守られません。

この国の構造は、すべて根っこが同じなのです。すべてに利権が絡まっていて、深く暗い闇で甘い汁を吸っている輩が蠢いています。どうにかしないと、ホント、やばいですよ。

名称変更許可にも透けて見える日本政界の闇

宗教団体の名称変更は文科大臣の認証が必要

統一教会は、いつの間にか「世界平和統一家庭連合」と名称を変えていました。

「どうして許可したんだ⁉」

それが明らかになったとき、世間には文化庁を非難する声が飛び交いました。宗教団体からの名称変更に関する申請を受け付け、最終的に許可を出すのは文化庁なのです。

非難は当然です。名前を変えるということは〝変装〟するようなもの。過去の悪事を隠して活動を続けることができますし、新しい信者の獲得にも有利です。こういう問題のある団体は、本来なら、名称変更が許されるべきではない。誰もがそう思うのに、なぜ認められたのか。ここでもまた、宗教団体と政治家とのズブズブの関係が取り沙汰されて騒ぎになりましたよね。

1997年以降、旧統一教会は、複数回にわたって文化庁に名称の変更を相談していたといいます。複数のメディアが報じるところによると、元文科省の幹部は、「実態が変わっていないのに変更を認めるわけにはいかない」などとして、当初、申請を却下したと証言しています。旧統一教会の企みを知った全国霊感商法対策弁護士連絡会は、文科省に対して、名称変更を認めないように繰り返し求めていたということです。

2015年3月には、「統一教会は悪評が広まっていること、そのため名前を変えて正体を隠そうとしていること、それによって資金や人材を確保しようとしていること」などを指摘し、名称変更を認めないよう訴える申し入れ書を文化庁に送ってもいます。

しかし、その約2か月後の2015年6月、旧統一教会は文化庁に名称変更についての正式な申請書を提出。7月に受理され、8月には変更が認められました。

文化庁には「認証できないから申請は受理しない」という方針があるそうです。つまり、旧統一教会がこのとき初めて申請書を出したのは「今回は認めてもらえる」という見通しがあったからだと見られているんですね。

末松信介文部科学大臣（当時）は、2022年8月8日の記者会見で名称変更を認証したことに触れ、文化庁が申請を受理しないことの違法性について教団側から指摘があったことを明らかにしました。しかし、認証は、教団側からの指摘とは無関係であることを強調。「申請が法令に適合しているかなどを審査し、機械的に承認したのであって問題はない」などと述べるにとどまりました。

さて、この会見に、どれだけの人が納得したのでしょうか。

説得力がなさ過ぎます。

旧統一教会の名称変更を許したのは誰か

この認証に関しては、名称変更当時の文部科学大臣・下村博文氏の関与が疑われていました。またか……。ため息が出てきますよね。

下村氏は、2012年12月に文科大臣に就任後、旧統一教会関連の雑誌でインタビューに応えたり、自身が支部長を務める自民党支部が、その雑誌を出版する会社から献金を受けていたりしたことがわかっています。下村氏と教団はつながっていたということではないですか‼

これでは疑惑の目を向けられても仕方がありません。

当の本人は、記者会見で自身の関与を否定しています。しかし、大臣時代、旧統一教会から申請が出されたことについて、担当者から報告を受けていたことは認めています。文化庁によると、名称変更の申請が出されたことについては、通常、大臣にまで報告はしないということなのに。「役人が大臣に報告したということは、大臣に指示を仰いだに等しい」といった見方をする関係者もいますが、真実は藪の中。

野党の議員が、名称変更を認証した際の文書の開示を求めたところ、一部が開示されたはいいけれど、変更理由など肝心な部分は黒塗りでした。長年、名称変更を拒絶してきた文化庁がなぜ認証に転じたのか。開示資料ではまったくわからずじまいだったのです。

この黒塗りにもまた下村氏の関与が疑われましたが、本人は、「そんなことはない。ぜひ黒塗りをなくして欲しいと文化庁に話をした。私も非常に迷惑している」などと反論しました。

何が本当なのでしょう。「いろいろなことをうやむやにしないで！」と叫びたくなってしまいます。

自民党保守派と主張が重なるのは旧統一教会の戦略なのか

選挙応援とバーターで政策推進協定

旧統一教会と政治とのつながりに関しては、次から次へと新事実が出てきましたよね。

たとえば「推薦確認書」の一件。これには驚かされました。

国政選挙の際、旧統一教会の関連団体が自民党の国会議員に対し、教団側が掲げる政策を推進するよう「推薦確認書」を提示し、署名を要求していたという。しかも、実際に署名した議員もいるというのですから、びっくり！　です。

教団側は「考えが一致する先生は応援します」ということだと説明していますが、「ものは言いよう」とはよく言ったもので、要するにこれ、「力を貸してあげるから、当選したら、この政策を推進しなさいよ」という一種の協定ではないですか。

推薦確認書では、「憲法改正や安全保障体制の強化」「家庭教育支援法や青少年健全育成基本法の制定」「LGBTや同性婚への慎重な対応」「〝日韓トンネル〟の実現推進」「共産主義への対抗」などが掲げられ、「以上の趣旨に賛同する」と書かれていたそうです。

「署名したということは賛同したということだからね」という念押しでしょうね。

教団側は、推薦確認書への署名要求は「組織としてやっている」と認めています。全国で数十人規模の国会議員に署名を求めていたと見られ、朝日新聞は、少なくとも衆参両院で5名を確認しています。

2022年10月20日付「毎日新聞デジタル」の記事によると、実際に署名したことを認めた自民党の議員は、取材に対し、「選挙で応援するにあたって、政策の方向性を確認したいということで持参された」と述べ、「100％政策が合致するわけではないが、おおむね方向性が確認できたので署名した」と話しています。このとき、「認識が間違っていた」と反省の言葉を口にしたものの、「応援してもらったことは前回衆院選が初めて」と強調したとか。他にも、自民党のデジタル副大臣も署名したことが判明しています。

旧統一教会と自民党の蜜月関係

旧統一教会と自民党保守派は共鳴している部分が多いことが指摘されています。たとえば、自民党の保守派は同性婚に否定的ですが、旧統一教会も同じです。２０２１年、同性婚不受理は違憲とする判決が札幌地裁で下されましたが、このとき、旧統一教会系の政党「国際勝共連合」（共産主義に勝利するための国際連盟）の機関紙は「司法の暴走」と報じたほど。

旧統一教会が「世界平和統一家庭連合」と名称を変えていることからもうかがえるように、彼らは「家庭」とか「家族」を重視していますが、この点もまた、自民党保守派と共鳴していますよね。国際勝共連合の改憲案には、「家族という基本的な単位がもっとも社会国家に必要」との文言があり、自民党の改憲草案には「家族は、社会の自然かつ基礎的な単位として、尊重される」とあるのです。

どうも、旧統一教会は、「家庭」とか「家族」を強調することで、親の権限を強くしておこうという意図があるらしい。子どもの権利に重きを置くと、親の言うことを聞かなくなったりして、教会への信心をなくして脱会する可能性もありますからね。

さらに、2023年4月に新設された「こども家庭庁」ですが、当初、名称は「こども庁」に決定していました。ところが、自民党保守派の主張で「家庭」が加わって「こども家庭庁」になったとか。国際勝共連合はホームページでこの件に触れ、「心ある議員の尽力によってこども庁からこども家庭庁になった」といったことを綴っています。

このように、旧統一教会と自民党、それぞれの主張は重なり合うところがたくさんあります。推薦確認書が出てきたこともあって、「教団側が自民党議員の政治活動に影響を与えていた可能性がある」と指摘されました。

社会的に問題のある組織と日本最大の政党がズブズブの関係にあるなんて、やっぱり変、この国はおかしすぎます。

安倍さんの銃撃事件後、自民党のロゴマークと旧統一教会のそれが似ていることが、ネット上で話題になりました。前者は、二人の人間が太陽に向かって両手を掲げているデザイン、後者は、両腕を広げた4人の人間が描かれていますが、やはり頭上には太陽があって、自民党のマークとモチーフが似ています。この似方、とても偶然とは思えない……。

「反共」を掲げながら北朝鮮とつながっていた旧統一教会の野望

日本からの献金が北朝鮮のミサイル開発の資金源!?

旧統一教会は、反共産主義を掲げる関連団体の勝共連合を通して、日本の保守政界に入り込みました。安倍元首相の祖父である岸信介元首相に取り入り、その後、今に至るまで、ずっと自民党とつながってきたようです。

しかし、「反共」は、教団側のイデオロギーではなく、東西冷戦時代の1960年代後半から80年代にかけて、日本や韓国、アメリカの保守政権に取り入るための〝看板〟に過ぎなかったという指摘もあります。

その証拠に、冷戦が終わると、共産主義国家に対する旧統一教会の姿勢に変化が起きます。創始者の文鮮明氏は、1990年にはモスクワを訪れてゴルバチョフ大統領（当時）と会談、その翌年には平壌を訪問し、北朝鮮の国家主席だった金日成とも会談を果たしています。

ソ連と東欧社会主義体制が崩壊し、北朝鮮が国際的に孤立していた時期です。北朝鮮出身の文氏としては、故郷を助けたいという思いがあったのか、このとき、北朝鮮に対して巨額の資金援助を申し出ていました。

その額、実に4500億円!

「文藝春秋」2023年1月号によると、アメリカ国防総省(ペンタゴン)情報局(DIA)は、北朝鮮と統一教会の接近を危険視して密かに監視を続けてきました。近年、その報告書の一部が機密解除され、韓国在住のジャーナリストがそのコピーを入手。そこには、文鮮明教祖が金日成主席(当時)と会談できた見返りとして、4500億円という巨額の資金を北朝鮮に提供したと書かれていたのです。DIA文書には、誕生祝いとして、統一教会は金日成に300万ドルを贈ったことなども明記されていました。

同記事では、前出のジャーナリストが旧統一教会の元関係者から入手した資料には、教会が北朝鮮に送金した金額が具体的に記録されていること、たとえば、2007年には、統一教会日本本部は、教会の関連団体を通じて、毎月4000万円から4800万円を北朝鮮に定期的に送金したことなども紹介されています。

旧統一教会は、冷戦終結を機に、経済援助によって北朝鮮に食い込もうとしたのでしょうが、問題は、その資金の出所と使い道。このお金がどこから出たか。日本を中心とした信者からの献金や、霊感商法によって集められたお金であることは、言うまでもありません。

そして、何より衝撃的なのは、この多額の資金が北朝鮮ミサイル開発を支えてきたこと。記事では、「北朝鮮は兵器の開発に使う資金の出所については気にしない。統一教会からお金が渡っていたなら、北朝鮮が核やミサイルの開発に資金を流用した可能性は高い。統一教会の資金を使わないはずがない」といった韓国国防省の元次官のコメントも掲載されています。

日本政府は今、北朝鮮からのミサイルに対応するためにも、防衛費の増額や敵基地攻撃能力の保有に動いています。しかし、その日本を恐怖に陥れている北朝鮮のミサイルを作り出しているのが、日本の人々のお金だったなんて。なんと皮肉なことでしょう!!

取り締まりに真剣さが感じられない日本政府の対応に喝!

「宗教団体」として議論するから前に進まない

旧統一教会の日本での活動を許し、被害を増大させたのは、日本の政治家たちです。彼らの罪は、あまりにも重い。

もし当事者たちが責任を感じているのなら、これまで旧統一教会とどのような関係を持っていたのか正直に表に出し、これからどうしていくのか、しっかりと考えていかなくてはなりません。そして、スピーディに事を運んでいくべきなのですが、政府のやっていることは、いちいち遅すぎます。見ていてイライラしてきます。

対策がスピーディに運ばないのは、旧統一教会を「宗教団体」という位置づけで議論しているからでしょう。

教会の教義の中には、「日本は戦時中、朝鮮に悪いことをした、それを浄化するために、日本は高額の献金をしなければいけない。それをしないなら不幸になる」といったものがあります。こうした手口でお金を集めるなんて、宗教でも何でもなくて脅迫そのものではないですか。また、買えば幸せになれるなどと言って高額な壺を売りつける。こうした団体のことを「宗教」のくくりで議論しているのが間違い。旧統一教会のやっていることは宗教ではなく、反社会的な活動で、立派な犯罪です。

こうした集団を「宗教団体」の位置づけにするから、「信仰の自由」云々という議論が出てきて前に進まなくなるんです。それに、こんな悪徳集団を「宗教団体」とすると、宗教全体のイメージが下がります。騙されて高額の献金を搾取され続けてきた被害者も救われません。

とにかく、旧統一教会を日本で活動させないためにも、それこそ、今すぐにでも解散請求を出すべきです。ですが、見ていると、どうも、のらりくらりとした印象を受けてしまうのは、私だけなのでしょうか。旧統一教会は、日本の国家安全保障を脅かすまでの存在なのですから、防衛費の増額の議論だけではなくて、教団の解散に向けても、政府は積極的に動かなくてはなりません。

公明党の存在が「政教分離」できなくさせている

公明党の「ノーコメント」は残念すぎる

自民党議員と旧統一教会の関係が取り沙汰される中、岸田首相は、「党と旧統一教会の関係を断つ」と記者会見で明言しました。

当たり前です。旧統一教会がトラブルだらけの団体だから、ということもありますが、たとえトラブルがなかったとしても、宗教団体とは縁を切らなくてはならないのではありませんか。

前にも触れましたが、日本国憲法には、「政教分離」の原則があります。今の日本の状況を見ると、完全にその原則が無視されているように感じられてしまいます。

日本で「政教分離」の話題になるたびに指摘されるのが、公明党ですよね。この党が創価学会という宗教団体を母体とすることは、周知の事実です。

1950年代、創価学会は政界進出を目的として「文化部」を創設、そこから議員を輩出するようになります。その後、「政治局」「公明政治連盟」へと改組し、1964年、創価学会から「公明政治連盟」が切り離され、公明党が誕生しました。

特定の宗教団体に属している人が政治家になる分には、信仰の自由というものがありますから、何の問題もありません。宗教団体の信者が個人的に政党を応援したり、その党に投票したりするのも、同様です。

でも逆に、憲法に定められた「政教分離」の原則によると、政治家が宗教団体に応援を呼びかけることは禁止されています。また、宗教団体も、組織的に信者たちに対して選挙の応援を求めてもいけないことになっています。

公明党や創価学会では、これがきちんと守られているのでしょうか。

安倍元総理の銃撃事件を受けて、公明党の山口那津男代表が囲み取材を受けた際、記者が政治と宗教について、「どう考えているか」と質問しました。しかし、山口代表の回答は、「ノーコメント」。がっかりしてしまいました。

日本の「政治と宗教」の代名詞のような存在が公明党。自分たちのスタンスと創価学会の関係性を踏まえたうえで、政治と宗教についてコメントしてくれると期待したのに、「ノーコメント」なんて、残念すぎます。

公明党が創価学会と深く結びついていることは、誰でも知っています。政治と宗教の関係性について、これほどまでに議論がなされている今、自分たちの立場について明言すべきときではないでしょうか。

公明党の公式サイトには、創価学会との関係を「政教一致」と非難する意見に対して、「全く的外れな批判」と明記されています。憲法に定められている「政教分離」の原則について、「憲法が規制対象としているのは、『国家権力』の側です。つまり、創価学会という支持団体（宗教法人）が公明党という政党を支援することは、なんら憲法違反になりません」との見解を示しているのです。

これ、間違った憲法解釈です。宗教団体として組織的に選挙応援をするのは、アウトです。この主張は、憲法解釈をねじ曲げて「問題ない」と言っているだけ。

おかしいですよね。この問題にメスが入れられないから、旧統一教会というカルト集団が政治に関わることも野放しにされてきたのです。

「宗教2世問題」は旧統一教会だけではない

安倍元首相の銃撃事件の犯人は、母親が旧統一教会の熱心な信者で、そのため、不遇な幼少期を送っていたことが報道されました。これを機に「宗教2世」がクローズアップされるようになり、世の中には、たくさんの宗教2世が存在し、多くが苦しい生活を送っていることが明らかになりました。

旧統一教会の宗教2世の小川さゆりさんは、幼少期に苦しい思いをしたことを、メディアに顔を出して涙ながらに何度も訴えていましたが、宗教2世の問題は、何も旧統一教会に限ったことではありません。創価学会でも、2世が苦しんできたと訴えている人がいます。

お笑い芸人の長井秀和さんです。

創価学会の元2世信者の長井さんは、旧統一教会の問題が明るみに出てから連日、自身のツイッターで創価学会でも旧統一教会のようなことが起きていて、宗教2世が苦しんできたという実態を投稿しています。

前出の小川さんや、この長井さんのように、顔を出して大きな宗教団体の内部事情を暴露するのは簡単ではありません。非常に危険な行為でもあります。でも、だからこそ、こうした勇気ある姿に多くの人が注目したのではないでしょうか。

ちなみに、2022年12月下旬、政府は、宗教2世への信仰の強制を児童虐待とすることを発表しましたが、これは、宗教2世たちの勇気ある行動があったからこそなんですね。

日本には宗教的に虐待されている子どもを保護者から引き離して、行政の判断で保護することが難しいという現実がありました。宗教2世の虐待問題をめぐっては児相に相談しても、「宗教問題には介入できない」と言われたという相談も寄せられていました。これまでは、信仰の自由を理由に、行政は消極的な判断をしてきたのです。親の信仰や教育に口を出せないということだったのでしょう。

しかし、今回発表された指針には、「必要な場合には躊躇なく、その児童を一時保護するように」と書かれています。これは、日本においては大きな一歩ですが、それもこれも、宗教2世たちの訴えが届いた結果と言えるでしょう。

創価学会と公明党は宗教2世の市議トップ当選を真摯に受け止めよ

2022年12月25日、長井秀和さんは、東京都西東京市議選に無所属で出馬して当選しました。西東京市の選挙のために1年半前から毎日街頭に立って演説をしてきましたが、地域の活性化はもちろん、カルト宗教問題などを訴えてきました。その甲斐あって、なんと立候補者40人中トップで当選。有名人で注目されたから当選したわけではありません。今回の市議選ではプロレスラーや芸人、歌手など他に4人もの有名人が出馬していましたが、どの人も当選していません。

長井さんは、もうずいぶん前に創価学会を脱会、宗教2世としてどれだけ苦しい思いをしながら過ごしてきたかを積極的に発信してきました。今回の西東京市の地方選でも、カルトと戦う議員になりたい、宗教2世で行き場がなくなった人を受け入れるような団体を発足していきたい、といった決意で立候補したそうですが、そうした決意や訴えが、人々に受け入れられたからこそ、トップ当選したわけです。

それは、とても大きな意味を持っています。長井さんの当選は、まだ小さな一歩かもしれませんが、このことを何より恐れているのは、創価学会と公明党でしょう。この小さな渦が今後大きな渦になる可能性があるのですから。創価学会と公明党は自分たちが世間からどう見られているのか、この結果を真摯に受け止めるべきなのです。

〝岡山のジャンヌダルク〟が広げた波紋と自民党の責任

「公明党の推薦は要らない」

安倍元総理は、銃撃現場となった奈良に入る前日、岡山県で自民党現職の小野田紀美候補の応援演説を行いました。安倍さんの最後のツイートがこのときのもの。小野田議員の写真とともに、彼女を応援する言葉が綴られていました。

私は、なんとも皮肉なものを感じずにはいられません。

この選挙で、小野田議員は非常に注目されていました。

2022年1月、夏の参院選をめぐり、公明党が32の改選1人区を中心に自民党候補者への推薦見送りを検討していることが報道されたのですが、それを受けて、彼女は次のようにツイートしました。

〈政党が違うのですから、選挙は他党の推薦ありきでやるのではなく、それぞれに自由にやるのが自然ですよね。公明党さんの推進《ママ》見送り検討、共感します。お互いそれぞれ頑張りましょう！ってやつですね！〉

つまり、彼女は、暗に「公明党の推薦は要らない」と言ったわけです。

なぜ小野田議員は公明党の推薦を拒否したのか。

2022年6月21日付「デイリー新潮」の記事によると、地元・岡山の県議は「公明党が嫌いなんでしょう。公明党は中国寄りですし、憲法9条改正には反対で、自民党が憲法改正をしようとすると、手枷足枷をかけてきますからね」と話しています。

実際、彼女はNHKのアンケートに「憲法改正賛成」「憲法9条改正賛成」「緊急事態条項賛成」「自衛隊による敵基地攻撃能力の保有賛成」と回答しています。また、第3章でも触れたように、彼女は、国会でも外国人留学生への過度な優遇措置を批判したり、NHKのスクランブル化を実現すべきなどと主張したりもしています。

そんなこんなで、彼女の発言はネット上で話題になって支持されたりしていたのですが、この件で、さらなる注目を集めることになりました。

公明党の推薦を拒否したことに対して、ツイッターでは好意的な声が多数寄せられましたが、彼女のツイートは公明党の逆鱗に触れました。だって、2016年の初出馬で彼女は、自民党公認として公明党の推薦を受け、初当選しているのですから。

怒った公明党は彼女の推薦の取り止めを正式に決定します。それは、自公連立政権のもとでの前代未聞の出来事で、地元の自民党県連には激震が走ったといいます。

公明党は当然、小野田議員に選挙協力はしない。それどころか、創価学会と結託して彼女を落選させようと動いたらしい。公明党に対する嫌悪感を隠さない小野田議員は、岡山の創価学会幹部からも反感を買ったということです。

安倍元首相が応援に駆け付けたのは、そんな〝わけあり〟選挙運動の真っ只中だったのです。〈自民党公認のみで戦い抜く小野田紀美候補。厳しい闘い、彼女の鋼の信念に会場は燃えました。／日本を守り抜く小野田紀美候補に力を！／宜しくお願いします。〉

安倍元首相の最後のツイートは、このような言葉でした。

小野田議員が公明党の推薦を拒否したのは、公明党と創価学会のつながりが政教分離に反していることも理由ではないか、と私は思っています。

ところが、選挙の応援に駆けつけてくれた安倍元首相は、旧統一教会というカルト宗教とつながっていたことが明らかになった。小野田議員が複雑な心境を抱えていることは間違いないでしょう。なんだか皮肉だなぁ、と思ってしまうのでした。

〝小野田の乱〟の波紋。公明党との連立にメリットなし

2022年夏の参院選での小野田議員の言動は〝小野田の乱〟、また彼女自身は〝岡山のジャンヌダルク〟などと呼ばれ、大きな注目を集めていました。落選するのではないかという声もありましたが、ふたを開けてみると、彼女の圧勝でした。午後8時の投票終了と同時に、NHKは「当確」を報じたほど。

この結果が投げかけたものは大きいと思います。

選挙に勝つための連立のはずが、公明党なしで圧勝したわけですから、このまま自公が連立を組む意味があるのか、疑問を投げかけることになりました。

最近は、公明党の創価学会員票があまり期待できなくなってきたと言われています。選挙活動に熱心な信者は高齢化し、比較的若い信者は政治活動に興味を持っていないのだとか。公明党に投票するとは限らない創価学会員も増えていると聞きます。

2022年夏の参院選で、公明党は比例で800万票の目標を掲げていましたが、結果は618万票。これまで創価学会の組織票は選挙で有利、などと言われていました。しかし、最近の創価学会は求心力が低下しているという。つまり、公明党や連立を組んでいる自民党の候補者も、創価学会の組織票が従来のようには期待できないということのようです。

それを証明したのが、小野田議員の当選です。実際、公明党支持者の中にも小野田候補に一票を入れた人が少なくないと言われています。

今後は、自民党内からも、「もう公明党や学会票を当てにする必要はない」という声がどんどん出てくるのではないでしょうか。

というより、そうでなくてはいけません。現に学会票は期待できないのですから、自民党が公明党と連立を組むメリットはない。むしろ、公明党と連立を組むことで、足を引っ張られるのではないですか。公明党との連立をよく思わない自民党支持者も多いと聞きますし。

自民党はこれまでの姿勢に責任を取るべき

政府は、旧統一教会の取り締まりに消極的な態度を貫いてきました。ここに来て、ようやく重い腰を上げたとはいえ、動きが遅い。それは、旧統一教会の信者に選挙活動を手伝ってもらうなど後ろめたさがあることだけが理由ではありません。取り締まりの動きを阻んできたのは、公明党の存在があるからでしょう。

自民党は、多くの自民党議員が選挙の応援をしてもらうために、旧統一教会とくっ付いて信者を利用してきました。それが今、明るみに出て、自民党の議員たちは「もう旧統一教会とは関わりません」と宣言しています。

ですが、政権の中には、まったく同じ構図で与党に居座っている党がありますよね。それが公明党。公明党は創価学会に支えられているわけです。つまり、旧統一教会への取り締まりに公明党が消極的だったのは、創価学会も同じように問題視されるかもしれないと恐れたからでしょう。

自民党は、学会票欲しさに、そうした政党と連立を組んできたのです。その結果、旧統一教会という反社会的活動を行う団体をやりたい放題させることになりました。

そう考えると、結局、旧統一教会を野放しにしてきたのは、「選挙に勝ちたい！」と、ただそれだけしか考えていない自民党の議員たちではないですか。

彼らは、自分の政治信条だけでは支持を得られない、ポリシーもプライドもない輩です。組織票をぶら下げて選挙で勝とうとする者がいれば、真っ当に選挙に臨むのがバカバカしくなる候補者もいますよね。

これが政治ですか？　有権者をバカにしていませんか？

こんなことがまかり通っているから、日本の政治は成熟しないのです。

創価学会とつながっている公明党もどうかと思いますが、学会票欲しさに、選挙ボランティア確保の目的で、そんな政党と連立を組んできた自民党の〝罪〟も大きい。結果的に、政教分離ができなくて、旧統一教会のような団体を野放しにして、問題をどんどん大きくしてしまった。

政治家は、ちゃんと責任を取りなさいよ、と思います。

もう国民のことなどそっちのけ。こんなのは政治でも何でもありません。私が「今の日本の政治は政教分離に反している」と訴えると、「その意見は自民党を陥れたい勢力に利用されますよ」などと言われて、議論することさえ妨害されます。この問題を議論することは、悪徳な宗教団体による被害者を救済するために、そして、こうした団体の日本での活動を今すぐにでもやめさせるために、必要なことなのです。

政治家のみなさんは、与野党問わず、すべての方が、宗教団体との関係を自己申告して、関係を切ると表明し、そして、今後日本はどのような対策をすべきか話し合って欲しいと思います。それが日本の政治が前に進むために大事なことです。公明党と創価学会のつながりにメスを入れるべきだとも思います。

日本は今こそ変わらなければなりません。今、変わる方向に舵を取らなければ、チャンスを逃してしまいます。どうか変わってください!!

第９章（利権と癒着と天下り）

自分たちの利権ファースト、これが日本の実情です！

日本社会に蔓延る〝違法ギャンブル〟パチンコの闇!!

コロナ禍での〝パチンコ叩き〟はなぜ?

新型コロナという未知のウイルスが蔓延し始めて、東京都などいくつかの自治体に初の緊急事態宣言が発令されたとき、飲食店のほか、ボウリング場や映画館などの娯楽施設にも休業要請が出されましたよね。

休業はあくまで要請であって強制ではありませんから、個々の判断に委ねられました。営業を続けるところもあり、世間から非難の目を向けられたりもしましたが、中でもバッシングがひどかったのがパチンコ店。行政も躍起になっていましたよね。

営業を続ける店は名前を公表するとまで言って、なんとか休業させようとした。居酒屋などでも営業している店はあったけれど、そこまではしていません。あのときは、行政も徹底的にパチンコ店だけを追い詰めていた感じ。そうやってパチンコ店を閉めさせると、世間からも称賛の声があがっていました。

なぜなのか。それは、パチンコに対する世間の印象が良くないからだと思います。平日の昼間からいい大人が何時間も店に入り浸って玉を打ち続けて、湯水のようにお金を使ってしまう……。とにかく、パチンコには不健全なイメージがあるんですね。

しかし、だからといってここだけを叩く理由にはなりません。普段、行政は、他の業種と同じようにパチンコ業にも営業許可を与えているわけです。それならば、他の業種と同じ扱いでなければ公平ではないのです。

ただ、パチンコが問題を孕《はら》んでいるのは、確かな事実。だから世の中の人々も「パチンコって、なんか胡散臭くない？」と漠然と感じている。この際、パチンコ業界が孕む問題を一から炙り出し、根本的に解決する必要があるんじゃないでしょうか。

〝三店方式〟で目くらまし

どう見ても、パチンコはギャンブルだと思うのですが、日本では、パチンコは「ギャンブルじゃない」ことになっています。

日本には、宝くじや競馬、競輪、競艇など法律によって許された賭け事（ギャンブル）もありますが、それ以外は違法で取り締まりの対象になります。バカラ賭博などの違法カジノが摘発されたというニュースを耳にすることはよくありますよね。ですが、パチンコは「ギャンブルじゃない」ため、取り締まられることはありません。

実はここには、カラクリがあるんです。

パチンコ台で遊んで増やした出玉を店で換金するとなると、これはもう立派なギャンブルですから、アウトです。でも、みなさんご存知のように、パチンコ店では表向きは出玉と景品を交換するという形が取られています。タバコやチョコレートなど〝本当の景品〟に換えることもありますが、ボールペンとかゴルフボールとかライターとか、店によって、それぞれ〝特殊景品〟というものを定めていて、この特殊景品を「景品交換所」と呼ばれる場所に持って行けば、換金できる仕組みになっています。

もっと正確に言うと、景品交換所は古物商の許可を取っており、パチンコ店の客が持ち込んだ特殊景品を中古品として現金で買い取るという体。

そして今度は、「景品問屋」が景品交換所から特殊景品を買い取り、パチンコ店に卸します。パチンコ店と客の間に景品交換所が、景品交換所とパチンコ店の間に景品問屋が、それぞれ入ることで、違法性がなくなるんですね。

パチンコ店、景品交換所、景品問屋。この3つの店で回るパチンコ業界の仕組みは、〝三店方式〟と呼ばれます。3つの店はまったく関係のないところで個別に営業をしているということで、「これはギャンブルじゃないよ、法律には違反していないよ」ということになるわけです。この三店方式が取られていることで、パチンコは、あくまで「出玉と景品を交換する遊戯」との主張がまかり通っています。

でも、やっぱりパチンコは、グレーゾーンに位置しているんですよね。だいたい三店方式によって〝ギャンブル〟が単なる〝遊戯〟になるなら、ゲームセンターなどにも適用すればいいのに、やらないでしょ。要するに三店方式は、その違法性を見逃すために、パチンコ業界のためだけに作られた方式ということです。

三店方式は、パチンコの違法性を誤魔化すための目くらまし？　いいんですかね、これで。

パチンコ利権に群がる政と官

パチンコは三店方式という目くらましの運用による換金行為です。限りなく黒に近いグレーな行為ですが、日本の警察がこれを取り締まることはありません。この仕組み自体、警察が積極的に関わってできたもののようですから、今さら「違法ですよ」と言えるはずもない。だいたい、言う気もないでしょうし。

もうね、日本の場合、何もかもが似たり寄ったり。前の章で、旧統一教会が取り締まりを免れてきた理由について言及しましたが、パチンコが取り締まられないのも、よく似た構造です。バカラ賭博やオンラインカジノなど、他のギャンブルは取り締まられるのに、パチンコだけがセーフなのは、政治家や官僚がパチンコマネーに汚染されているからに他なりません。

どの業界でも「協会」があります。パチンコにも関連の協会がいくつかあり、大手パチンコ店のほとんどがいずれかに加入しているのですが、その団体のアドバイザーに政治家が名を連ねています。

結局、旧統一教会と同じようなもので、政治にパチンコ利権が入り込んでいるということです。政治家は取り締まりからパチンコ業界を守る。その代わりに、パチンコ業界は政治家にお金を渡す。両者にとってウインウインの構図が出来上がっているんですね。

さらに、パチスロやパチンコ台の機能をチェックする「保安通信協会」という一般財団法人があるのですが、専務理事には天下りをした警察庁の人間が就いています。つまり、ギャンブルを取り締まる側の警察や政治家が、パチンコ業界とズブズブなんです。

また、パチンコのＣＭがテレビで放送されることもあります。要するに、テレビなどのマスコミにとってパチンコ業界は大事なスポンサー。となると、パチンコ業界に不利になる報道はできませんよね。結局、マスコミも、パチンコ業界と政官のズブズブの関係を看過していたのではないですか。

パチンコ店の経営者に朝鮮半島系の人々が多いことは、知られています。日本国籍を取得されている方もいるかと思いますが、いずれにしても、かつては北朝鮮系の人が多く、パチンコ業界から北朝鮮に相当の資金が流れていたと言われています。そのお金はきっと、旧統一教会から北に渡った資金と同じように、ミサイル開発などに使われていたのでしょう。

現在は、パチンコ業界の経営者のうちの北朝鮮系は２割、７割は韓国系だとされています。でも、不思議なことに、韓国にはパチンコ店がありません。要するに、日本の人々を相手に儲けてやろうという朝鮮半島系のギャンブルビジネスが、日本でだけ平然と行われているということ。日本のお偉いさんたちは、これを黙認しているどころか、自らがその業界とズブズブの関係なのですから、怒りを通り越して呆れてしまいます。

日本のお偉いさんは、そろそろ本気で動いてください。パチンコのような違法ギャンブルを、日本の社会に蔓延らせてはいけません。自分たちの利権のために、いろいろなことをうやむやにするのは、もうおしまい!!

「日本学術会議」は4兆円もの巨大利権の巣窟だった!

会員の任命拒否は菅前首相の大きな功績

2020年10月、菅義偉首相(当時)が「日本学術会議」の新会員候補6人の任命を拒否したことが、大きなニュースになり、連日、メディアを賑わせました。

日本学術会議は、1949年に設立された政府機関です。

210名の会員は全員科学者であり、国家公務員、特別職に当たります。日本国内には約87万人もの科学者がいるといいますが、日本学術会議は、この科学者たちを代表する組織として、政府や社会に対して日本の科学者の意見を直接提言するなどの役割を担っています。

会員の任期は6年。3年ごとに半分ずつ任命されていく仕組みで、新しく会員になる人の候補は、会員および連携会員が後任を推薦する形で決まります。ちょうど3年のサイクルに当たっていた2020年も、105人が推薦されたのですが、菅首相が、そのうちの6人の任命を見送ったことで、大きな波紋を呼んだというわけですね。

立憲民主党、共産党は、「学問の自由が侵害される」として、菅首相による任命見送りに反発しました。これについては朝日新聞、毎日新聞、日本経済新聞、東京新聞も野党と同じスタンスで批判しています。

「もっときちんと理由を語るべき」との世論もありました。確かに、菅さんは、6人の任命を見送った理由を明らかにしていない。ですが、拒否の理由はどうであれ、私は、このときの任命拒否は、菅さんの大きな功績だと思っています。

これがきっかけで、日本学術会議の名は世の中に広く知れ渡るところとなりました。政府の機関で、決して少なくない税金が投入されているというのに、この一件があるまで、日本学術会議の存在さえ知らない国民が多かったのです。そういう人たちが、「日本学術会議という、なんだかよくわからない機関がある」と知っただけでも、大きな成果ではないですか。

利権の巣窟と批判されるのも当然

菅さんが6人の任命を見送ったとき、多くの新聞は野党と同じく批判的な論調を展開していましたが、産経新聞は違っていました。日本学術会議そのものに問題があり、これを機に組織の改革をすべきという論調で報じたのです。

そうなんです。日本学術会議は、たくさんの問題を孕んだ組織です。

年間約10億円もの税金が投入されているのに、これが何に使われているのか、当初、はっきりしませんでした（のちに、人件費や事務費として5・5億円、政策の提言費として2・5億円、国際活動費として2億円、その他として5000万円と発表されました）。

事務局には50人ほどの職員がいて、その人たちの給料もここから出ているのでしょうが、はたして50人も必要なのか、無駄使いではないのか、との声もあがっています。

210人の会員には手当が支給されますが、そもそも、その会員に選ばれる基準が曖昧です。既述したように、会員が後任を指名する仕組みですが、このやり方だと公平性が保たれないという指摘もあります。自分の〝身内〟で固めてしまうこともできるわけですからね。

国は学術の研究予算として年間4兆円を充てていますが、この予算を、それぞれの研究機関に割り当てることも、日本学術会議の大きな仕事です。割り当ては公平でなければいけません。ところが、これに偏りがあるという指摘もされているのです。

組織ができてから何十年間もずっと、こんなふうに問題視されてきたことがいくつもある。

それなのに、まったく見直しされてきませんでした。メスが入ることはなかったんです。

２０００年代に入ってから何度か、「日本学術会議はこのままでいいのか」という議論が起きています。国の機関でありながら、日本学術会議は独立性を謳っている。その矛盾が指摘され、「政府に批判的な立場で意見をしたいのであれば、政府機関ではなくて、ちゃんと独立して法人団体となるのが望ましい」となったのです。

こうしたアカデミックな組織は、欧米の国々がそうであるように、政府と切り離し、極力、独立を保つことが理想です。欧米では、このような組織は、独自の財政、つまり会費や寄付などによって運営されています。

日本学術会議も本当はそうあるべきなんですが、結局、日本学術会議側の要望で、このときの民営化は見送られたといいます。国の機関であるほうが、税金から予算が出るし、権威もつけられる。彼らにとっては、何かと都合がいいのでしょう。でも、やっぱり、今でも相変わらず独立性は主張しています。

たとえば、菅さんが任命拒否をした人たちのうちの一人は、辺野古の基地建設で政府の方針に反対している立場の人でした。また、政府はその当時、共謀罪（※）の制定に向けて動いていたのですが、その他の５人は、これに批判的な人たちだったんですね。

要するに、６人全員が政府と対立する立ち位置だった。だから任命が見送られたのではないか。そんな憶測を呼んで、菅さんは方々から批判されました。

でも、私は思うのです。この日本学術会議は行政機関なわけです。ここに毎年約10億円もの予算が出ているのですから、政府の息がかかるのは当たり前です。人事に口出しもするでしょう。「任命しない」と言えば、やはり従うしかないでしょう。

このような人事における問題を避けたい、解決したいというのなら、やはり日本学術会議は政府機関から抜けて独立すべきです。民営化されれば、会員は国家公務員でもなくなるので、政府が任命に関して干渉することもありません。

権威として国のお墨付きが欲しい、国家公務員でいたい、そして費用は全額出して欲しい。でも人事には口を出すな。これではあまりに虫が良すぎやしませんか。

日本学術会議は、ずっと、こんな体質のままなんです。「利権の巣窟」と批判されるのも、当然のことでしょう。4兆円もの巨大利権を貪りたくて、改革をしたくない人間が蠢いているに違いありません。ここでもやっぱり「利権ファースト」なんですよ。

軍事や国防の研究を阻む勢力

日本学術会議は、1950年に「戦争を目的とする科学の研究は絶対にこれを行わない」と

※テロや犯罪組織を取り締まるための法律。実行されたかどうかにかかわらず、テロ組織や犯罪組織が行うであろう犯罪に加担した場合に、罰則が科せられる

いった趣旨の声明を、１９６７年には「軍事目的のための科学研究を行わない声明」を、それぞれ発表しています。

２０１７年3月には「軍事的安全保障研究に関する声明」を出しました。そこには、「われわれは、大学等の研究機関における軍事的安全保障研究、すなわち、軍事的な手段による国家の安全保障にかかわる研究が、学問の自由及び学術の健全な発展と緊張関係にあることをここに確認し」とした上で、先の2つの声明を継承するとしています。

同じ声明の中で、防衛装備庁の「安全保障技術研究推進制度」を批判してもいます。要するに日本学術会議は、防衛省への協力に否定的な立場を取っているということです。

こうした提言のスタンスは、4兆円の研究費の割り当ての偏りを生んでもいます。日本学術会議は、防衛や軍事についての研究への予算配分に関して、ものすごく慎重です。そのことが、日本の防衛に関する研究や技術開発が進まず、他国に遅れを取っている原因とも言われています。

菅首相による任命拒否は、「学問の自由を侵害する」という批判の声に晒されましたが、こうした日本学術会議の姿勢こそ、学問の自由を妨げているのではないでしょうか。

もちろん、日本学術会議の会員の中に、「軍事における暴走を止めよう」と考える学者さんがいても、不思議ではありません。でも、よく考えてみてください。今の国際情勢の中で、日本が軍事力、防衛力を高めたいと考えるのは自然なことです。第1章でも述べたように、日本を取り巻く安全保障環境はどんどん厳しくなっています。そう考えると、日本政府が軍事の研究に力を入れたいと思うのは当たり前。それを阻むなんて、どうかしてやしませんか。

日本学術会議は、間接的に中国に協力していることになっているのではないか、とも指摘されています。

中国には、世界中からハイレベルな人材を集めるための〝千人計画〟と呼ばれる政策があります。海外で高度な学問を学んだ優秀な中国人を国内に呼び戻すための制度としてスタートしましたが、今では、外国の優秀な研究者や学生も集められています。

2021年1月1日配信の「読売新聞オンライン」によると、この計画には少なくとも44人の研究者が関与していたことが、同新聞の取材でわかっています。この44人の中には、中国軍に近い「国防7校」に所属している研究者が8人いて、うち5人は日本学術会議の元会員や元連携会員だということです。

日本学術会議は政府機関です。日本の安全保障に関する情報や、先端技術の情報を持っている組織なんです。そこに属する学者が、日本を敵視して、連日、日本の領海を侵犯するような国で、しかも軍に近いところで研究を進めていいものなのでしょうか。

今、国際社会は中国を警戒しています。米中の対立も激しさを増す一方です。そんな中にあって、日本のアカデミックな機関が、たとえ間接的にだとしても中国とつながっているとあれば、日本の立場が危うくなってしまいます。

さすがに日本政府も危機感を覚えたようで、ようやく優秀な研究者の囲い込みを、安全保障という観点から考え始めています。本来なら、そうしたことを率先して提言するのが、日本学術会議の役割だと思うのですが、逆に、彼らはそれを阻んでいたフシもある。政府はすぐにでも、利権の巣窟である日本学術会議にメスを入れなくていけないのではありませんか。

この国の大人たちは子どもの権利よりも利権のほうが大事なんですか?

学校給食会のあまりにも暗い闇

「子どもの教育に関係する諸費用はすべて無料に」という提案は既述した通りです。中でも、給食費に関しては、これだけ未払いが問題になっていることですし、食べることは子どもが生きる権利の基本でもありますから、さっさと無料にすればいいものを。無償化している自治体もちらほらあるようですが、国全体で見るとまだまだ。給食を実施していない自治体もあるなど、地域によって状況が異なるために、一律の対応は困難という声もあがっているようですが、他にも理由が……。無償化にブレーキがかかっているのはどうやら、給食の世界にも利権が絡んでいることが関係しているようなのです。

全国には「学校給食会」というものが存在します。都道府県単位で設立されている公益財団法人で、学校給食の物資供給などを行う機関ですが、ここに大きな闇がありました。

２０２０年11月14日付「西日本新聞（デジタル版）」によると、福岡市は２０２０年度から、学校給食用の米飯、パン、牛乳の基本食品３点について、福岡県学校給食会を通さず、食品業者からの直接購入に切り替えました。「アレルギーの原因となる材料を使わないパンに切り替えて欲しい」という要望に給食会がなかなか対応してくれなかったことから、給食会を介さず食材を購入することになったということです。

当初の目的は食物アレルギーへの対応強化でした。ところが、ふたを開けてみると、給食会の仲介を省くことで、食物アレルギーに柔軟に対応できるようになったばかりか、購入費が年間でおよそ５５００万円の削減になったといいます。驚愕の金額です。

それ以前は、米飯、パン、牛乳の食品業者への発注は市が行っていましたが、契約や料金の請求、支払いに関しては、市は食品業者ではなく、給食会との間で行っていました。

それをやめて、つまり、給食会の仲介を抜きにして、市が直接、食品業者とやり取りするようになっただけで、５５００万円も安くなったということ。しかも食品業者は従来通り、変更されていないのに、です。

食品業者が、納入した食材の代金を市に直接請求し、代金を徴収するのは、決して難しいことではないはずです。はっきり言って、給食会は要らない機関。それなのに、わざわざ介入していたなんて、どんな理由があるのでしょうか。アヤシさを感じずにはいられない……。と思ったら、やはりと言うべきか、福岡県学校給食会の理事長は県教育庁のOBでした。

給食会は各都道府県にありますが、どこも似たようなものらしく、たとえば新潟県学校給食会では、現職の教員や教育委員会関係者が役員をしているということです。

またもやズブズブじゃないですか!!

学校給食は、1食1000円のご馳走

給食会が間に入ることで給食費が跳ね上がり、その分を親が負担しなくてはならないんですよ。給食費を払えない親もいるのです。結局、子どものところにしわ寄せが来ているではないですか!! 一部の人にいい思いをさせるために、給食があるのではない。なんのための給食か、よく考えていただきたい。給食は子どものためにあるんです!! 子どもの権利よりも、利権を優先するなんて、あってはいけないことです。

学校給食は、1食1000円程度だとされています。びっくりしませんか。今どきワンコインでももっとマシなランチが食べられるのではないかと思います。栄養だけはちゃんと考えら

れているようですが、あの程度の食事です。パンなどもクオリティの低い安価なものが出されているようです。原価はたいしたことはないはず。原価を除いた残りの分は、人件費や輸送費などでしょうが、この中には、給食会のピンはね分も含まれています。

1000円のうち、親が負担するのは、250円から300円程度で、残りは税金からまかなわれていることになりますが、どちらにせよ、お金が給食会へ流れているのではないですか。

給食会が受け取る甘い汁は他にもあります。

給食で使う食材を納める業者は、多くの自治体では学校給食会が決定しているそうです。しかも、業者は昔からほぼ同じ。学校給食の世界は、自由競争とはほど遠く、不公平な現状があるということです。

学校給食は、地方自治体が主体となって運営されています。国が主導権を握ってうまいことやっていけばいいのに、と思っていたのですが、国が自治体に丸投げしているのには理由があったということですね。

現代の事情に即していない給食のスタイル

給食があるおかげで、敗戦後の貧しい時代でも、学校に行けば、子どもたちはみんな平等にご飯が食べられました。この〝平等〟というのは大事な理念で、給食は、日本の学校教育における素晴らしい制度です。「同じ釜の飯を食う」という、日本らしさもありますしね。

ただ、子どもたちの体質やその家庭環境が多様化する中で、従来の学校給食は限界を迎えているのも確か。そもそも、「同じ釜の飯を食う」という、今の給食のスタイルは、時代に即していないのです。

まずアレルギーの問題。昨今では、多種多様な食物アレルギーを持つ子どもがいます。そうした子どもを持つ親は大変です。毎日、給食に何が入るかをチェックして、我が子のアレルギー源となる食材が入っていたら、子どもの口に入らないようにしなければなりません。

宗教の問題もあります。かつて、公立の学校の生徒は日本人がほとんどでしたが、今は、外国人の子どもたちもたくさん通っています。

彼らの宗教によっては、口にできない食材があります。たとえば、イスラム教徒は豚肉を食べることを禁じられています。私自身、イスラム教徒です。ですから、日本の公立の小中学校に通っていた私は、豚肉のおかずが出る日には、母がつくってくれた別の料理を密閉容器に入れて学校に持参していました。今、ムスリムのお母さんたちに聞くと、やはり、同じように対処しているそうです。

私のように、（厳密には親が）勝手に日本にやってきた外国人なら、それでもいいんです。ですが、国が国策として受け入れている外国人労働者のためには、受け皿をつくらなくてはならない。受け入れるだけ受け入れておいて、「あとは勝手にどうぞ」はないでしょう?

この人たちの中には、子どもを日本の公立学校に通わせる人もいるはず。ですから、給食もそれを想定しておくべきですが、現状、そんなことは考えられていませんよね。

そこで私が提案したいのが、カフェテリア方式です。各々トレイを持って、好きな料理を選んで、好きな席について食べるという、あのスタイルですね。日本でも社員食堂などではすでに取り入れられていますが、それを学校にも導入すればいいのではないでしょうか。カフェテリアだと、自分の好きなものばかりチョイスしてしまうため、栄養が偏るのではないかと危惧する人もいますが、栄養士がそこにいて、ちゃんとアドバイスする体制を整えておけば、その問題はクリアできると思うのですが。

子どものために、などと言いながら、人気取りのばら撒きをやるくらいなら、こういうところに税金を使って欲しいと思います。

「日本は〝利権まみれ〟」を露呈したカネまみれの東京オリンピック

賄賂は合わせて1億4000万円余りの汚職事件

「誰も経験したことのないコロナ禍での大会を乗り越えた人がレガシーなんです」

東京オリンピック・パラリンピック競技大会組織委員会が解散した日、橋本聖子組織委員会会長（当時）は、こんな発言をしました。とてもウックシイ言葉のような気もしますが、のちに浮上した数々の不祥事を思うと、皮肉にも思えてしまいます。

安倍元首相の銃撃事件があり、旧統一教会との関連が明るみに出るなどして世の中が騒々しくなっていた2022年7月、さらに社会を揺るがす報道がありました。読売新聞が7月20日付の朝刊で、東京オリンピックの組織委員会元理事とスポンサー企業の間で不透明な資金移動があり、東京地検特捜部が捜査を進めている事実を報じたのです。スクープでした。

それから次々と明らかになった東京オリンピックのスポンサー契約をめぐる汚職。スポンサー選定を行っていたのは組織委員会ですが、実際にスポンサーを獲得する業務は、大手広告代理店に委託され、そこが窓口となって、スポンサーになるための交渉を企業との間で進めていました。

この汚職事件で逮捕・起訴されたのは、組織委員会の元理事で件の広告代理店出身者。紳士服大手、出版大手から、スポンサー選定などの謝礼として、自身が経営するコンサルタント会社や知人の会社を通じて、多額の賄賂を受け取っていた罪に問われています。

組織委員会は、大会の準備や運営を担っていた公益財団法人で、国や東京都、その他の自治体、民間からの出向者によって構成され、大会開催時には約7000人が職務に当たっていたとか。彼らは「みなし公務員」という立場で、国や自治体の職員でなくても、公務員と同じように刑法の規定の一部が適用されるため、職務に関して金品を受け取ることを禁じられているんですね。もちろん、理事だって同様です。

この元理事は、さらに別の広告代理店からも、スポンサーの契約業務を請け負えるように便宜を図ったことの謝礼として賄賂を受け取っていました。3社からの賄賂は、合わせて1億4000万円余り。どれだけおいしい役得なのでしょう⁉

〝大手広告代理店頼み〟という国の体質を問う

東京オリンピックのスポンサー選定を担っていたのは、組織委員会のマーケティング局で、ここには、件の大手広告代理店からたくさんの社員が出向していました。組織委員会にはイベント運営に不慣れな人が多く、そこにそうした仕事におけるプロフェッショナルである広告代理店が入ることで、業務が滞りなく進行します。

また、オリンピックの主催側は、大会に投入される税金を抑えるためにスポンサー収入を増やさなくてはなりません。そこで組織委員会は、スポンサーを募集する窓口が必要として、その大手広告代理店を指名しました。こうして、その代理店が絡んでのスポンサー収入は3761億円に上りました。これは国内スポンサー収入としてはオリンピック史上最高の額。その会社は広告代理店の本領を発揮したというところでしょうか。

とにかく、この大手広告代理店は、いろいろなところで、やたら名前が出てきます。オリンピックだけではありません。政府の大きな事業はいつもここに発注されてきました。ロイターの調べでは、2020年までの過去10年で、この代理店が設立に関与した2つの社団法人の政府からの事業受託は少なくとも103件で、総額1710億円にもなっています。

コロナ禍での持続化給付金の事務作業も請け負っていました。政府から巨額のお金がこの会社に流れ、それをまた、この会社が下請けに振る。この際、とんでもない額が〝中抜き〟されていたことも話題になりましたよね。

しかし、それにしても、日本には、ここしか広告代理店がないわけではありません。他にも大きな会社はあるし、小さくても才能のある代理店だってあるはずです。それなのに、いつもこの会社だけが独占し、ここだけが儲かっている。これでは他社はチャンスがもらえず、成長することができないではありませんか。

それを「よし」としているのは、ある一部の人が利権を守りたいからではないですか。彼らは、政府の事業、国を挙げての行事などに絡んで、甘い汁を吸おうとしているのではないですか。その汁は国民の血税です。

問題の代理店のことばかりを話しましたが、私は、この会社を槍玉にあげたいわけではなく、〝某広告代理店頼み〟という、この国の〝体質〟を問いたいのです。この体質が改善されない限り、東京大会にまつわる贈収賄や談合疑惑のようなことはなくならない。国から膨大な金額で受注された公共事業の中抜きは、問題視すらされず、永遠に続いていくかもしれません。

東京オリンピックは、開催が決まった直後から、招致のための買収が問題になっていました。今後も、カネの疑惑は出てくるのではないか、といった指摘もあります。東京オリンピックは、利権まみれ、カネまみれの祭典だったということです。

東京五輪の談合事件が明るみに出て、さすがにマズイと思ったのでしょう。政府は、元幹部が逮捕された問題の広告代理店を含む3社に対して、経済産業省や文部科学省などが発注する事業に参加できなくする指名停止の措置を取りました。東京都も、都が発注する事業に関して、同様の措置を取りました。文科省発注の事業は9か月間、その他に関しては措置の期間はまだ決まっていない（2023年2月現在）ようですが、短すぎやしませんか。指名停止の措置が国や行政の〝ポーズ〟でないことを祈るばかりです。

〝某広告代理店頼み〟といえば、2026年に愛知県と名古屋市が共催する夏季アジア大会もそうだったということが、2023年3月下旬に明らかになりました。

大会の組織委員会は、2020年10月にスポンサーを集める代理店を決めていたところ、その企業が辞退したらしく、どうやら、それがまた問題の某大手広告代理店のようなのです。東京オリンピックの汚職・談合事件を受けて、その企業が辞退したことで、組織委員会は、2023年4月から改めて代理店を公募、海外からの応募も受け入れるとか。また、1社に委ねるのではなく、複数社での対応も考えているらしい。

それでいいのではないですかね。やっとか……。そんな感も拭えませんが。

人材派遣会社の中抜き問題

件の大手広告代理店と同じく、いつも国の事業に絡んでいるのが、某大手人材派遣会社です。世間からは、「ちゃんと入札で落札しているのか」といった疑惑がたびたび浮上するのですが、これまで一度も捜査のメスが入れられたことはありません。

この会社は、東京オリンピックでも大きな利益を上げたと言われています。東京大会のオフィシャルサポーターとして、人材サービスの分野で組織委員会と契約を締結していました。東京大会43会場の派遣スタッフを頼むときには、この会社にオファーを出す契約。会場の運営業務を担うスタッフの多くは派遣社員ですが、この供給を一手に請け負うことになっていたのが、この会社というわけです。大会組織委員会でも職員4000人のうちの約3分の1はこの会社が派遣しています。事実上の独占契約だったとみられています。

それだけでも大問題ですが、もっと悪質なのは〝中抜き〟です。一説によると、97%もの中抜きをしていたのではないかという疑惑もあるほど。人材派遣会社が仲介の手数料で利益を得るのは当たり前だとしても、この数字が本当だとしたら、いかがなものか。

「エグすぎる」。ネット上では、こんな批判の声が飛び交いました。

この会社の2021年の最終利益は前年比の1000%、過去最高を記録しています。100%！　びっくりする数字ですね。

ちなみに、外国人技能実習生のところで触れましたが、外国人を受け入れて日本全国の企業などに派遣するのは、人材派遣会社の仕事です。そして、ここでもまた、この会社が暗躍しています。外国人労働者からも〝エグい中抜き〟をしているのではないかと囁かれています。

コロナ禍で東京大会を強行したワケ

この、某人材派遣会社がここまでやりたい放題できるのは、某広告代理店と同様、政府とズブズブの関係で、やっぱり〝えこひいき〟されているからです。

当時、この会社の会長を務めていたのは、小泉純一郎内閣で民間人としては初の経済財政政策担当大臣になり、その後、金融担当大臣、郵政民営化担当大臣、総務大臣などを歴任した人です。第2次安倍内閣では、日本経済再生本部の産業競争力会議のメンバーになるなど安倍政権の経済政策に深く関わっていました。菅政権でも、首相のブレーンだとされていました。

この人のバックグラウンドを見れば、この会社と政府のズブズブの関係は、火を見るより明らかです。

東京オリンピックを開催する、しないの議論が盛んになっていたとき、この人がテレビ番組で放った一言が波紋を呼びました。政府の新型コロナウイルス感染対策分科会の尾身茂会長が「今の状況で（オリンピックの開催は）普通はない」と述べたことを受け、「明らかに越権」と尾身会長を批判したのです。これに対し、「科学を無視する行為」「論点がずれている」などと識者たちから反論されましたが、この人物は必死だったのでしょうかね。

既述の大手広告代理店もオリンピックに期待していました。インターネットの普及により、テレビや新聞など、従来メディアの視聴者や読者が減少して広告が伸び悩んでいたことに加え、コロナ禍で多くの企業の業績が悪化、広告の出稿が激減したことから、2019年12月期と2021年6月期の2期連続で過去最大の赤字を出していたのです。だからこそ、オリンピックに期待した。オリンピックによって得られる莫大な収益で、大赤字を埋められる、と。

しかし、新型コロナウイルスの感染拡大はおさまらず、オリンピックの開催を中止するよう求める声が、国内で高まり始めます。医療体制も逼迫《ひっぱく》し、専門家からも「開催は難しいのではないか」との声があがっていました。そんな中で、政府は、オリンピック開催に躍起になっていましたよね。国民には行動制限をさせても、「オリンピックだけは意地でも開催する」。その方向で動いていました。矛盾を感じていた人も多かったはずです。

意地でも東京オリンピックを開催したかったのは、裏に自分たちの利権を守りたい人がいたからなのでしょう。東京オリンピックは、こういう人たちによって、利権まみれ、カネまみれのイベントにされてしまったのです。「アスリートファースト」などとよく言えたものです。「自分たちの利権ファースト」で動いている人の、なんと多いことよ。アスリートが気の毒すぎます。

この期に及んで札幌冬季オリンピック招致って本気ですか？

札幌市とＪＯＣ（日本オリンピック委員会）は、２０２０年1月に開催したＪＯＣ第8回理事会で札幌市を冬季大会の候補都市とすることを決定してから招致活動を進めてきました。

今や、オリンピックは、「恩恵を受けるのはＩＯＣ（国際オリンピック委員会）とスポーツ業界だけ、開催地の市民は大損をするイベント」と言われています。

東京オリンピックの経費は、当初７３４０億円の予算が組まれていたところ、コロナ対策で費用がかさんだとはいえ、1兆６９８９億円にまで膨れ上がりました。しかし、それでも足りず、実際には3兆円以上かかったと言われているのです。無観客で警備費２９２億円が抑えられてこの額だというのですから、ひどすぎます。開催都市は、お金は出しても口は出せないため、「ＩＯＣの意のままにぼったくられた」と表現する人もいるほどです。

こうした話がある中でも、札幌市とＪＯＣはやる気満々。

しかし、市民はうんざりしているのではないですか。札幌では、過去に何度か世論調査が行われています。それによると、ある時期までは賛成と反対がほぼ同数だったのですが、２０２０年の東京オリンピック後は、反対が賛成を上回るようになっているといいます。

そりゃそうです。東京オリンピックのあと、あれだけいろいろな問題が噴出したのです。汚職事件の背景のひとつとして、組織委員会のチェック体制やガバナンスの不十分さがあったことが指摘されているのに、組織委員会がすでに解散していることを理由に、検証さえ行われていない。東京大会組織委員会元会長の森喜朗氏に至っては、一連の事件について「組織委員会やオリンピック関係者が問題になったわけではなく、個人的な問題」との見解を示しました。えーーーーーーーーっ、ですよね。呆れてしまいます。

東京オリンピックを傷つけたのは、東京オリンピックに携わった組織です。当事者にその自覚がまったくないどころか、問題を放置して、国民の声を無視して、そうまでしてでも札幌オリンピックを開催したいのは、そこに、よほど甘い汁があるからだと思わずにはいられません。

札幌市は「東京大会のレガシーを引き継ぐ」などと言っています。くれぐれも〝負のレガシー〟を引き継ぐことのないよう、お願いしたいものです。私の大好きな日本という国が、世界から後ろ指差されて笑われたのでは、たまったものではありません！

おわりに

私が今考える日本のさまざまな問題について、ここまで書いてきましたが、みなさんはどうお感じになりましたか。

日本と運命的な出会いをした私が、使命感に燃えてお伝えしたいことを綴ってみました。

実は私は、YouTubeでも、そのときどきに感じることを発信しているのですが、賛否両論いろいろなご意見をいただきます。

「よくぞ正論を言ってくれた」というような肯定的な声もあれば、「それ、違わない？」とか「何様のつもりなんだ⁉」といった否定的な声も、もちろんあります。読者のみなさんも、本書を読み進めながら、さまざまなことを思われたに違いありません。

私は、日本に暮らす一外国人に過ぎません。なんだかんだと問題提起をしたところで、私が日本を変えることはできないのです。この国の未来をどんなものにするかは、日本人であるみなさんの手にかかっています。

ニッポン人よ、今こそ立ち上がれ。

なんて、偉そうなことを言うつもりはありません。

ただ、本書で私がお伝えしたことを、みなさんが少しだけでも心に留めておいてくだされば、幸いです。それが結果的に、何かの変化をもたらすことになったとしたら、これほど嬉しいことはありません。

日本は、今よりもっともっと素晴らしい、最強の国になれるはずなんです。日本ほど伸び代のある国は他にはないと思います。

外国人でありながら、そんな国に住まわせてもらっていることに、そして、そんな国の人たちが本書を手に取ってくださったことに、心より感謝いたします。

みなさん、最後まで読んでいただき、本当にありがとうございます。

２０２３年４月吉日　　フィフィ

〈著者紹介〉
フィフィ　1976年エジプト・カイロ生まれ。中京大学情報科学部卒。2011年の「アラブの春」に際して綴ったブログが注目を集め、以来、国内外のニュース（社会問題、政治、芸能）を中心に発言。テレビ、ラジオ、ウェブメディアなどで活躍している。サンミュージック所属。著書に『日本人に知ってほしいイスラムのこと』『おかしいことを「おかしい」と言えない日本という社会へ』。
公式YouTubeチャンネル　@FIFIchannel
公式ツイッター　@FIFI_Egypt

まだ本当のことを言わないの？
日本の9大タブー
2023年5月10日　第1刷発行

GENTOSHA

著　者　フィフィ
発行人　見城 徹
編集人　志儀保博
編集者　茅原秀行

発行所　株式会社 幻冬舎
〒151-0051 東京都渋谷区千駄ヶ谷4-9-7
電話：03(5411)6211(編集)
03(5411)6222(営業)
公式HP：https://www.gentosha.co.jp/

印刷・製本所　中央精版印刷株式会社

Printed in Japan
ISBN978-4-344-04109-7 C0095

この本に関するご意見・ご感想は、
下記アンケートフォームからお寄せください。
https://www.gentosha.co.jp/e/